GUIDE NAÏF DE PARIS

L'AUTOBUS « R » A PARIS

Vieillard (Lucien), Collection particulière, Paris.

PARIS. MAI 1990

THÉRÈSE A JULIETTE
Avec toute son affection
+ des bisous, bisous.

Marie-Christine Hugonot

GUIDE NAÏF DE PARIS
Paris through the eyes of the modern primitives

avec la collaboration de

Mathilde Hager
pour les promenades dans Paris

2e édition

ÉDITIONS HERVAS

LE MOULIN DE LA GALETTE

Vieillard (Lucien).

Le Moulin de la Galette jadis appelé Blute-fin est avec le moulin Radet le seul survivant des trente moulins de la butte Montmartre. Transformé en bal populaire, le moulin de la Galette a inspiré Renoir, Van Gogh, Toulouse-Lautrec…

LE MOULIN DE LA GALETTE ("Biscuit Windmill")

The Moulin de la Galette, in the past called Blute-fin, ("Fine Sifter"), is, with the Moulin Radet, the last of the thirty windmills once on Montmartre. Transformed into a dance-hall, the Moulin de la Galette inspired such painters as Renoir, Van Gogh, Toulouse-Lautrec, and others.

Avant-propos

Ce « Guide naïf de Paris », le premier du genre, permet de découvrir la capitale d'un œil neuf.

La séduction exercée par Paris sur les artistes est légendaire, qu'ils soient peintres, écrivains, poètes ou chanteurs. Les peintres naïfs n'y échappent pas. Ils y ont trouvé une source d'inspiration inépuisable.

Voilà pourquoi, devant l'abondance et la richesse des vues de Paris qu'ils avaient peintes, l'idée d'en présenter une sélection dans un livre nous est venue. A dire vrai, c'est André Salaün, peintre naïf, l'un des plus Parisiens d'entre eux, qui un jour s'est étonné de l'absence d'un pareil ouvrage ! Grâce aux Naïfs, on redécouvre Paris. Leur regard diffère. Et sous leurs pinceaux, la ville apparaît sous un jour nouveau.

Wilhelm Uhde, grand collectionneur et critique d'art, écrivait à propos du plus célèbre peintre naïf de Paris, Louis Vivin : « Il construit Paris en posant les pierres les unes sur les autres, les fenêtres les unes à côté des autres. Il ouvre tour à tour les cartons et en sort successivement des paysages. »

C'est la multiplicité de ses visages, c'est son animation, sa gaieté qui ont charmé les naïfs. Mais aussi la beauté de ses monuments. Passéistes dans l'âme, pour la plupart, ils aiment à reproduire les témoignages d'un Paris qui n'est plus, mais dont demeurent intacts certains vestiges. Parisiens de souche ou d'adoption, de passage pour certains, ils ont rarement peint sur le motif. Se référant à quelques cartes postales, à des photos ou à d'autres documents, ils trouvaient là de quoi planter le décor. Et l'imagination, toujours féconde chez les Naïfs, a fait le reste. Certains d'entre eux ont vu Paris en touriste, n'ayant d'yeux que pour ses monuments. D'autres, au contraire, en vrais Parisiens, se sont attachés à montrer un Paris peu connu, vivant et populaire.

Ce « Guide naïf de Paris » prouve une fois de plus, si besoin était, la diversité de leur art, l'originalité de leur vision et le charme de leurs audaces… lorsqu'il s'agit d'authentiques, de vrais peintres naïfs.

L'intérêt de cette confrontation d'œuvres spontanées sur un même sujet vient s'ajouter à celui d'un guide nouveau, qui comprend en outre seize itinéraires commentés par Michèle Mathilde Hager, l'un des guides les plus sûrs de Paris. 16 itinéraires ponctués d'anecdotes pour découvrir ici une cour, là un jardin, une grille, un escalier, une enseigne, ces riens qui font le charme d'une ville, de Paris. Enfin joignant l'amusant à l'inattendu « Paris en chiffres » vous révélera combien Paris compte de rues, quelle est la hauteur de Notre-Dame, etc., autant de questions, autant de devinettes.

Voilà pourquoi, ce « Guide naïf de Paris » se révèle en tous points, original.

Marie-Christine Hugonot

Foreword

This "Guide naïf de Paris" is the first one of its kind, and helps you discover this capital with new eyes.

The seduction exerted by Paris on artists, whether they are painters, writers, poets or singers, is legendary. Amateur artists are no exception. They have found here an endless source of inspiration.

The abundance and the richness of the Parisian scenes they have painted has motivated the publication of a selection of their work in book form. Actually, it is André Salaun, a naive painter himself and one of the most Parisian among them, who expressed one day his surprise at the fact that such a book did not exist. Thanks to amateurs artists, we rediscover Paris. Their way of seeing things is different. And their brushes make the city appear in a new light.

Wilhelm Uhde, a leading collector and art critic, wrote this of the most famous amateur painters of Paris, Louis Vivin: "He constructs Paris by placing one stone on the other, one window next to the other. He opens boxes one by one and successively brings out of them landscapes."

The multitude of faces in the city, its vivacity, its gaiety have enchanted non-professional painters. The beauty of its monuments, though, has also fascinated them, for the most part, they are lovers of the past at heart, and are fond of bearing testimony to a Paris which no longer exists, but of which certain vestiges remain intact. Whether native-born or adoptive Parisians or just travelling through the city for others, rare are the amateur painters who have worked directly from their subject. They found in postcards, photographs or other documents what they needed to set the scene, and their imagination, always fertile, did the rest. Some of them have visualised Paris as sight-seers do, with eyes only for its monuments. Still others, on the other hand, true Parisians, have tried to show a little-known Paris, the bustling Paris of the humbler classes.

The "Guide naïf de Paris" proves once again, if such proof is necessary, that true, authentic primitive modern painters show incomparable diversity in their art, creativity in their vision and charm in their inventiveness.

The interest of this selection of spontaneous works on the same subject is added to that of a new guidebook, which includes sixteen walks commented by Michèle Mathilde Hager, one of the most authoritative guides to Paris. With her anecdotes illustrating the sixteen walks, you will discover here a courtyard, there a garden, a gate, a stairway, a tavern sign, all these little things which make up the charm of a city, of Paris. Lastly, combining the amusing and the unexpected, "Paris in Figures" will reveal to you the number of streets in Paris, the height of Notre-Dame, etc. because for each question, there is also an enigma.

This is why the "Guide naïf de Paris" is truly original in all respects.

Marie-Christine Hugonot

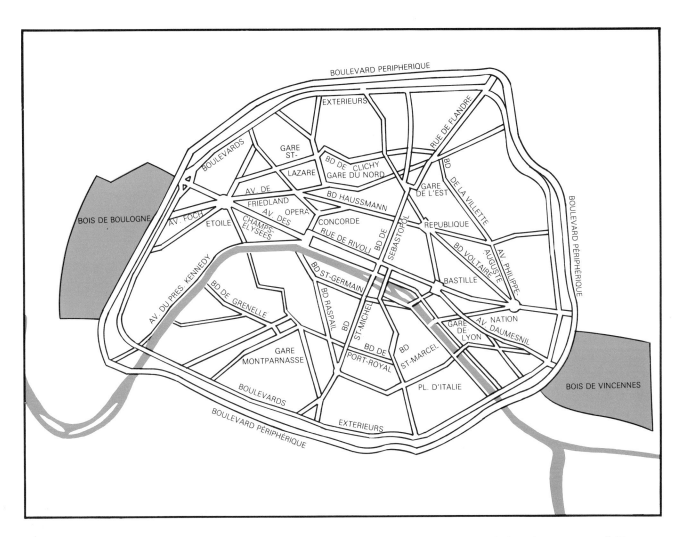

Plan schématique de Paris

Simplified map of Paris

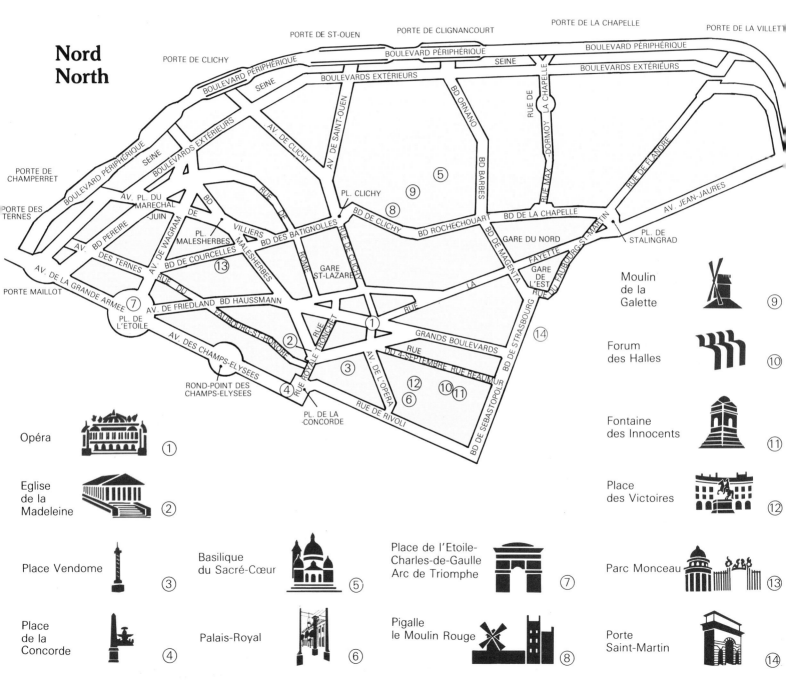

Nord
North

PORTE DE CLICHY
PORTE DE ST-OUEN
PORTE DE CLIGNANCOURT
PORTE DE LA CHAPELLE
PORTE DE LA VILLET

BOULEVARD PÉRIPHÉRIQUE
BOULEVARD PÉRIPHÉRIQUE
SEINE
SEINE

BOULEVARDS EXTÉRIEURS
BOULEVARD PERIPHERIQUE
SEINE
BOULEVARDS EXTÉRIEURS
BOULEVARDS EXTÉRIEURS

PORTE DE CHAMPERRET
PORTE DES TERNES
PORTE MAILLOT

BOULEVARD PÉRIPHÉRIQUE
SEINE
BOULEVARDS EXTÉRIEURS
BD ORNANO
RUE DE LA CHAPELLE
RUE DE FLANDRE

AV. DE CLICHY
AV. DE SAINT-OUEN
BD BARBES
RUE MAX -DORMOY-
AV. JEAN-JAURES

AV. PL. DU MARECHAL JUIN
BD DE WAGRAM
BD PEREIRE
AV. DES TERNES
AV. DE LA GRANDE ARMEE
RUE DE
PL. DU MARECHAL
VILLIERS
PL. MALESHERBES
BD DES BATIGNOLLES
ROME
MALESHERBES
BD DE COURCELLES
PL. CLICHY
BD DE CLICHY
BD ROCHECHOUART
BD DE LA CHAPELLE
GARE DU NORD
BD DE MAGENTA
GARE DE L'EST
FAYETTE
PL. DE STALINGRAD

⑤
⑨
⑧
RUE DU FAUBOURG-ST-MARTIN

GARE ST-LAZARE
RUE DE CLICHY
RUE

AV. DE FRIEDLAND
BD HAUSSMANN
⑬
LA
RUE DU FAUBOURG-ST-MARTIN
BD DE STRASBOURG
⑭

PL. DE L'ETOILE
⑦
RUE DU
RUE ROYALE
FAUBOURG-ST-HONORÉ
RUE TRONCHET
①
GRANDS BOULEVARDS
②
AV. DES CHAMPS-ELYSEES
③
⑫
⑩ ⑪
RUE DU 4-SEPTEMBRE RUE REAUMUR
ROND-POINT DES CHAMPS-ELYSEES
④
RUE
AV. DE L'OPERA
⑥
PL. DE LA CONCORDE
RUE DE RIVOLI
BD DE SEBASTOPOL

Opéra ①

Eglise de la Madeleine ②

Place Vendome ③

Place de la Concorde ④

Basilique du Sacré-Cœur ⑤

Palais-Royal ⑥

Place de l'Etoile-Charles-de-Gaulle Arc de Triomphe ⑦

Pigalle le Moulin Rouge ⑧

Moulin de la Galette ⑨

Forum des Halles ⑩

Fontaine des Innocents ⑪

Place des Victoires ⑫

Parc Monceau ⑬

Porte Saint-Martin ⑭

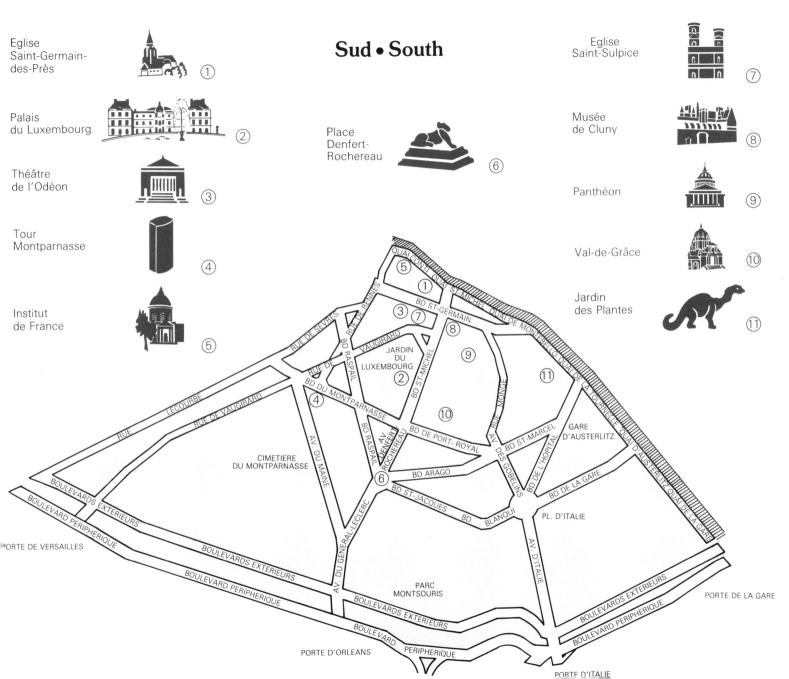

Sud • South

Eglise Saint-Germain-des-Prés ①

Palais du Luxembourg ②

Théâtre de l'Odéon ③

Tour Montparnasse ④

Institut de France ⑤

Place Denfert-Rochereau ⑥

Eglise Saint-Sulpice ⑦

Musée de Cluny ⑧

Panthéon ⑨

Val-de-Grâce ⑩

Jardin des Plantes ⑪

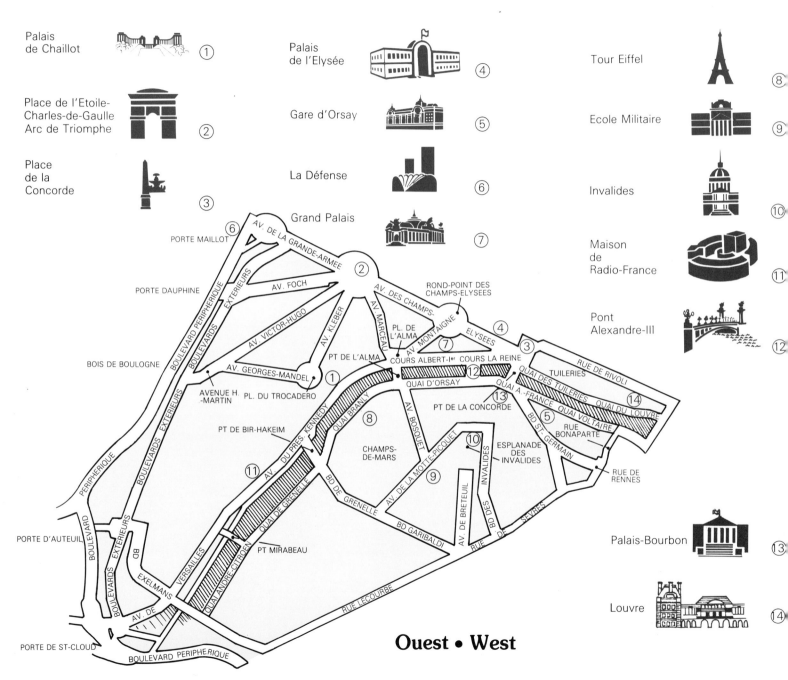

Palais de Chaillot ①

Place de l'Etoile-Charles-de-Gaulle Arc de Triomphe ②

Place de la Concorde ③

Palais de l'Elysée ④

Gare d'Orsay ⑤

La Défense ⑥

Grand Palais ⑦

Tour Eiffel ⑧

Ecole Militaire ⑨

Invalides ⑩

Maison de Radio-France ⑪

Pont Alexandre-III ⑫

Palais-Bourbon ⑬

Louvre ⑭

Ouest • West

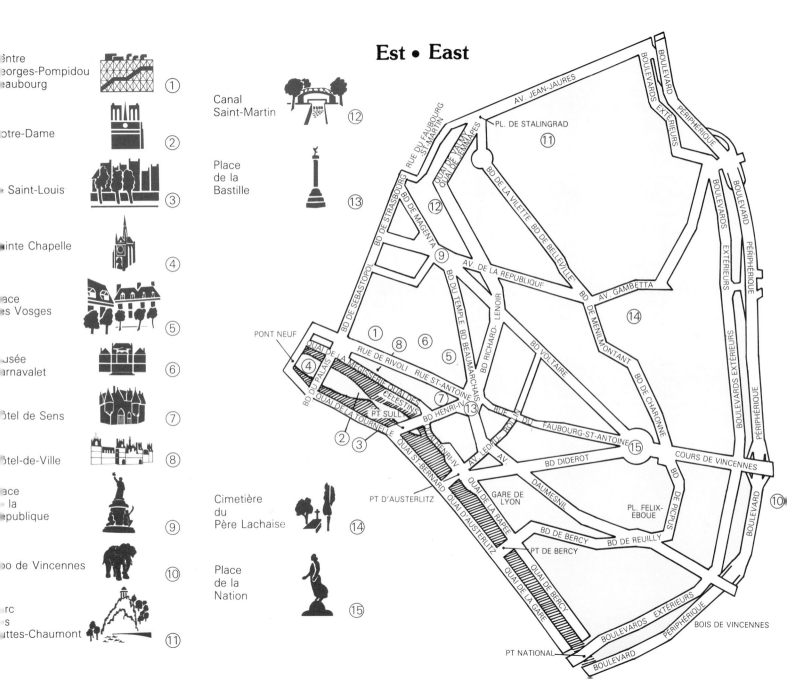

Est • East

Legend (left column):

- Centre Georges-Pompidou Beaubourg ①
- Notre-Dame ②
- Saint-Louis ③
- Sainte Chapelle ④
- Place des Vosges ⑤
- Musée Carnavalet ⑥
- Hôtel de Sens ⑦
- Hôtel-de-Ville ⑧
- Place de la République ⑨
- Zoo de Vincennes ⑩
- Parc des Buttes-Chaumont ⑪

- Canal Saint-Martin ⑫
- Place de la Bastille ⑬
- Cimetière du Père Lachaise ⑭
- Place de la Nation ⑮

Map labels:

AV. JEAN-JAURES · PL. DE STALINGRAD · BOULEVARD EXTÉRIEURS · BOULEVARD PERIPHERIQUE · RUE DU FAUBOURG ST-MARTIN · QUAI DE VALMY · QUAI DE JEMMAPES · BD DE LA VILETTE · BD DE BELLEVILLE · BOULEVARDS EXTÉRIEURS · BD DE STRASBOURG · BD DE MAGENTA · AV. DE LA REPUBLIQUE · BD DE MÉNILMONTANT · AV. GAMBETTA · BD DE SEBASTOPOL · BD DU TEMPLE · BD BEAUMARCHAIS · BD RICHARD-LENOIR · BD VOLTAIRE · BD DE CHARONNE · PONT NEUF · QUAI DE LA MÉGISSERIE · QUAI DES CELESTINS · RUE DE RIVOLI · RUE ST-ANTOINE · QUAI DU PALAIS · QUAI DE LA TOURNELLE · PT SULLY · BD HENRI-IV · RUE ST-ANTOINE · RUE DE LA ROQUETTE · RUE DU FAUBOURG-ST-ANTOINE · PT D'AUSTERLITZ · QUAI ST-BERNARD · QUAI D'AUSTERLITZ · QUAI DE LA RAPEE · AV. LEDRU-ROLLIN · BD DIDEROT · DAUMESNIL · GARE DE LYON · COURS DE VINCENNES · PL. FELIX-EBOUE · BD DE PICPUS · BD DE BERCY · BD DE REUILLY · PT DE BERCY · QUAI DE BERCY · QUAI DE LA GARE · PT NATIONAL · BOULEVARDS EXTÉRIEURS · BOULEVARD PERIPHERIQUE · BOIS DE VINCENNES

Métro-R.E.R.

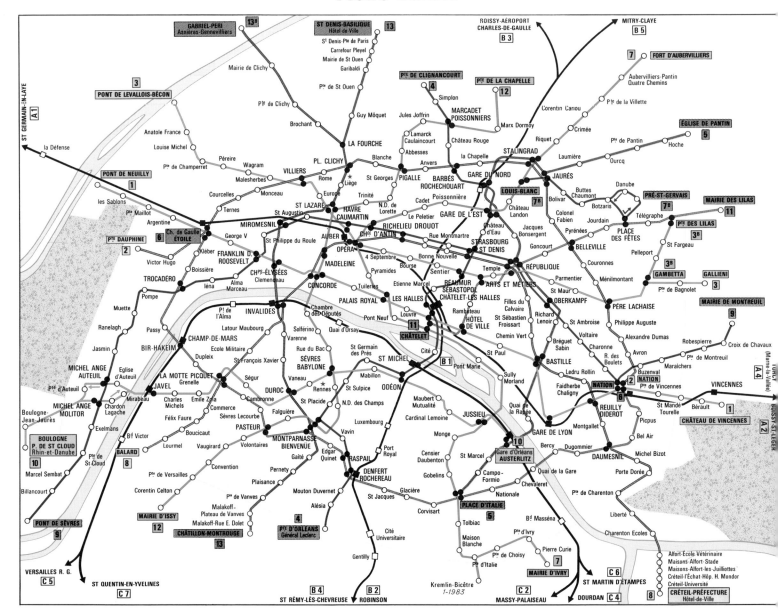

Paris vu par les peintres naïfs

Paris through the eyes of the modern primitives

NOTRE-DAME VUE DE L'ILE SAINT-LOUIS

Blondel (Emile), Collection Olivé, Paris.

L'un des coins les plus charmants de Paris, mais aussi l'un des plus beaux points de vue, du quai d'Orléans tout au bout de l'île Saint-Louis sur le chevet de Notre-Dame.

NOTRE-DAME VUE DE L'ILE SAINT-LOUIS

One of the most charming spots in Paris, and also one of the most beautiful places to view the apse of Notre-Dame is on the quai d'Orléans, just at the end of the Ile Saint-Louis.

15

NOTRE-DAME

Blondel (Emile), Collection privée, Paris.

Vue sur le chevet de Notre-Dame, que l'œil de Blondel voit se refléter dans la Seine.

NOTRE-DAME

A view of the apse of Notre-Dame, that Blondel shows reflecte in the waters of the Seine.

NOTRE-DAME

Vieillard (Lucien), Collection particulière, 1979.

C'est la plus belle église de Paris et, après Saint-Denis et Sens, qui l'ont précédée, l'une des premières cathédrales de France.
La construction s'est échelonnée sur près de deux siècles (1159-1345). La restauration au XIXe siècle a été assurée par Viollet-le-Duc auquel on doit la flèche. Notre-Dame mérite une visite approfondie. Des tours, la vue sur Paris et la Seine est admirable.

NOTRE-DAME

This is the most beautiful church in Paris, and, after the cathedrals of Saint-Denis and Sens which preceded it, one of France's earliest cathedrals.
Construction lasted almost two centuries (1159-1345). Its restoration during the nineteenth century was done by Viollet-le-Duc, who also built the spire. Notre-Dame deserves to be thoroughly visited. From its towers, the view over Paris and the Seine is admirable.

NOTRE-DAME DE PARIS

Duranton (André), Collection.

La Seine en amont de la Cité : au premier plan la flèche de Notre-Dame, ajoutée au XIXᵉ siècle par Viollet-le-Duc, les jardins qui forment les squares Jean XXIII et de l'Ile-de-France, à droite le pont de l'Archevêché, plus loin le pont de la Tournelle, avec la statue de Sainte-Geneviève, enfin le pont Sully.

NOTRE-DAME DE PARIS

The Seine upstream from the Ile de la Cité: in the foreground is the spire of Notre-Dame, added in the nineteenth century by Viollet-le-Duc, the gardens of square Jean XXIII and square de l'Ile-de-France, on the right the pont de l'Archevêché, and farther on, the pont de la Tournelle, with the statue of Sainte Geneviève; lastly the pont de Sully.

UN QUAI A PARIS

Ghiglion-Green (Maurice), Collection de l'artiste, Cannes 1980.

Les bouquinistes des quais de la Seine, rive droite et rive gauche de part et d'autre de la Cité sont une institution. Même si aujourd'hui les trouvailles sont rares « faire les bouquinistes » reste une façon séduisante de flâner.

UN QUAI A PARIS

The second-hand book sellers on Right and Left Bank either side of the Ile de la Cité have become an institution. Even if real finds are rare nowadays "doing" the booksellers is still an amusing way to spend one's leisure time.

NOTRE-DAME

Alexandrine, Musée du Vieux Château, Laval, 1965.

L'attention du peintre ne s'est pas porté sur Notre-Dame seulement, mais elle situe la cathédrale dans son environnement. Les ponts s'étagent animés et défiant les règles de la perspective.

NOTRE-DAME

The painter's attention is not fixed on Notre-Dame only, but she places as well the cathedral in its environment. The bridges rise in a lively manner in tiers, defying the rules of perspective.

LA SAINTE CHAPELLE

Herjie, Musée International d'Art Naif Anatole Jakovsky, Nice.

Elle est située dans l'enceinte du Palais de Justice. Ce chef-d'œuvre de l'art gothique (1246-1248) a été construit sous le règne de Saint-Louis pour abriter la couronne d'épines du Christ. Les vitraux de la chapelle haute du XIIIe siècle sont admirables.

LA SAINTE CHAPELLE

The chapel is located within the walls of the Palais de Justice (law courts). This masterpiece of gothic art (1246-1248) was built under the reign of saint Louis to contain Christs's crown of thorns. The upper chapel's stained-glass windows, dating from the thirteenth century, are admirable.

LA CITE

Ghiglion-Green (Maurice), Collection de l'artiste, Cannes, 1972.

C'est le berceau de Paris, dénommée Lutèce jusqu'au IVe siècle. Le Palais de Justice qui a succédé au palais Royal des premiers Capétiens et Notre-Dame, respectivement sièges du pouvoir temporel et du pouvoir spirituel, constituent aujourd'hui les deux pôles de la Cité.

LA CITE

This is the birthplace of Paris, called "Lutetia" up to the fourth century. The Capetian kings' royal palace, which made way for the Palais de Justice, and Notre-Dame, the seats of earthly and spiritual power, are today the two poles of the Ile de la Cité.

NOTRE-DAME

Mémé Grossin, Galerie Antoinette, Paris, 1965.

Une des nombreuses vues de Notre-Dame dans l'écrin de verdure du chevet de la cathédrale. Paris a cette fois un air provincial : une vieille péniche comme on n'en voit plus guère, et sur le quai des artistes qui peignent et d'autres qui jouent de la guitare.
Un Paris automnal, un Paris calme.

NOTRE-DAME

One of the numerous landscape scenes showing Notre-Dame in the setting of the greenery at the cathedral's apse. Paris, this time, has a small-town look: an old river barge, such as are hardly seen any more, is moored on the quay where artists paint and others play guitars.

LE PONT-NEUF

Bouquet (André). Collection Demeaux, Paris, 1945.

Le plus ancien pont de Paris, construit de 1578 à 1604 est ici vu en contre-plongée, certainement depuis la terrasse de la Samaritaine. On aperçoit à gauche deux maisons du début du XVIIe siècle, très restaurées, entre lesquelles on passe pour accéder à la ravissante petite place Dauphine.

LE PONT NEUF

The oldest bridge in Paris, built from 1578 to 1604, is shown here from a high angle, certainly from the rooftop terrace of the Samaritaine department store. On the left, two houses dating from the beginning of the seventeenth century can be seen, very much restored, flanking the entry to the charming little place Dauphine.

SAINT-GERMAIN-L'AUXERROIS

Greffe (Léon), Collection Luc Lemaire, Paris.

Jadis paroisse des rois de France, Saint-Germain-l'Auxerrois a subi d'importantes restaurations au XIXe siècle. De nombreux artistes qui vivaient à la Cour et habitaient au Louvre y sont enterrés : les peintres Boucher, Chardin, Nattier, Van Loo, les architectes Le Vau, Soufflot.

SAINT-GERMAIN-L'AUXERROIS

Formerly parish of the Kings of France, Saint-Germain-l'Auxerrois was the object of major restoration during the nineteenth century. Numerous artists who lived at the Royal Court, in the Louvre, are buried there: the graves of the painters Boucher, Chardin, Nattier, Van Loo, the architects Le Vau and Soufflot.

Greffe Léon

QUAI DU LOUVRE

Duranton (André), Galerie Naïv'Art, Paris.

Les berges de la Seine ont beaucoup changé entre le pont des Arts et le Pont-Neuf. Le ponton où accostaient les bateaux-mouches a disparu, les flâneurs aussi … remplacés par les automobiles empruntant la voie Georges Pompidou.

QUAI DU LOUVRE

The banks of the Seine have changed a great deal between the Pont des Arts and the Pont-Neuf. The pontoon where the river boats (bateaux-mouches) used to moor has disappeared, the strollers as well… replaced by the automobiles on the Georges-Pompidou expressway.

PLACE DU CHATELET

Greffe (Léon), Musée du Petit-Palais, Genève, (vers 1915).

Sur la toile de Léon Greffe, le théâtre Sarah Bernhardt devenu théâtre de la Ville (qui fait face au théâtre du Châtelet, devenu théâtre musical de Paris), la fontaine aux sphynx qui commémore les victoires de Napoléon 1er et, à gauche, la tour Saint-Jacques seul vestige de l'église Saint-Jacques-de-la-Boucherie.

PLACE DU CHATELET

The Sarah-Bernhardt theatre, which became the Théâtre de la Ville (across from the Théâtre du Châtelet, which is now the Musical Theatre of Paris), the fountain of the Sphynx commemorating Napoleon I's victories, and at the left, the Tower of Saint-Jacques, the only remains of the church of Saint-Jacques-de-la-Boucherie, are shown on Greffe's canvas.

27

LE LOUVRE, L'ARC DE TRIOMPHE DU CARROUSEL

Vivin (Louis), Collection Dina Vierny, Paris 1930.

Trônant entre les deux bras du Louvre, l'Arc de Triomphe du Carrousel, pastiche de l'arc de Septime-Sévère à Rome a été construit de 1806 à 1808 pour célébrer les victoires remportées par Napoléon en 1805 : Austerlitz, Ulm, Tilsit…

LE LOUVRE, L'ARC DE TRIOMPHE DU CARROUSEL

In a place of honour between the two wings of the Louvre, the Arc de Triomphe du Carrousel, a copy of the Arc of Septimus Severus in Rome, was built from 1806 to 1808 to mark Napoleon's victories of 1805: Austerlitz, Ulm, Tilsit, etc.

LE LOUVRE

Donati (Valentine), Collection de l'artiste, Paris.

Le pont du Carrousel au premier plan et le Louvre où s'ouvrent les trois arches des guichets qui donnent accès à la place du même nom. C'est là que se tenaient au XVIIe siècle d'imposantes parades équestres où la noblesse se plaisait à montrer sa splendeur et son adresse.

LE LOUVRE

The Pont du Carrousel is shown in the foreground with the Louvre, whose three arches, entrance gates, open onto the square bearing the same name. Here is where impressive equestrian exhibitions were held in the seventeenth century, when the nobles liked to show their splendour and skill.

LA CONCIERGERIE

Greffe (Léon), Collection Luc Lemaire, Paris.

La Conciergerie, cet important vestige du palais des Capétiens occupe l'aile nord du Palais de Justice. Elle fut transformée en prison. Parmi les détenus célèbres citons Ravaillac, assassin de Henri IV, Cartouche et Mandrin célèbres bandits d'honneur, la reine Marie-Antoinette, Charlotte Corday, Robespierre...

LA CONCIERGERIE

The Conciergerie, major vestige of the Capetian palace, is in the north wing of the Palais de Justice. It was made a prison. Among the famous prisoners, we might mention Ravaillac, who murdered Henry IV, Cartouche and Mandrin, the illustrious "honest highwaymen", the queen Marie-Antoinette, the Girondists, Charlotte Corday, Robespierre...

L'INSTITUT

Greffe (Léon), Musée International d'Art Naïf Anatole Jakovsky, Nice, 1943.

Dominé par sa célèbre coupole, ce palais est occupé par l'Institut de France qui regroupe les cinq académies, dont la plus ancienne : l'Académie française. Construits de 1663 à 1688, selon le vœu de Mazarin, ces bâtiments abritaient le Collège des Quatre Nations. L'Institut a été transféré ici par Napoléon en 1806.

L'INSTITUT

Crowned by its famous dome, this palace now houses the Institut de France which comprises the five Académies, including the oldest: l'Académie Française. Built from 1663 to 1688, according to Mazarin's wishes, this bulding is as well the home of the Collège des Quatre Nations. The Institut was transferred here by Napoleon in 1806.

LE PONT DES ARTS, LA CENE SUR LA SEINE

Desnos (Ferdinand), Musée du Vieux-Château, Laval (Dépôt du Centre Georges Pompidou).

Malgré son titre, la scène représentée ne se passe pas sur le pont des Arts — actuellement en cours de reconstruction en aval du Pont-Neuf — mais à la pointe de l'île Saint-Louis face au chevet de Notre-Dame.

LE PONT DES ARTS, LA CENE SUR LA SEINE
(The Pont des Arts, Last Supper on the Seine)

In spite of its title, the landscape shown is not on the Pont des Arts — currently being rebuilt dowstream from the Pont-Neuf — but on the tip of the Ile Saint-Louis across from the apse of Notre-Dame.

LE QUAI AUX FLEURS

Kriegel (Many), Collection particulière, Paris 1977.

Le quai aux Fleurs, dans l'île de la Cité, commence rue du Cloître-Notre-Dame et finit au pont d'Arcole. De ce quai, la vue est superbe sur l'île Saint-Louis, l'église Saint-Gervais et l'Hôtel de Ville. Il doit son nom au marché aux fleurs qu'il longeait avant d'être amputé en 1929 d'une bonne moitié, devenue quai de Corse où se tient toujours le marché aux fleurs en semaine, le marché aux oiseaux le dimanche.

LE QUAI AUX FLEURS

The Quai aux Fleurs, on the Ile de la Cité, begins at the rue du Cloître Notre-Dame and ends at the Pont d'Arcole. From this quay, the vue over the Ile Saint-Louis, the church of Saint-Gervais, and City Hall (l'Hôtel de Ville), is superb. It owes its name to the flower market which was held here up to 1929, when the quay lost about half its length to the quai de Corse, where the flower market is still held during weekdays, and the bird market on Sundays.

MANY-77

AUX DEUX MAGOTS

Schaar (Monique), Collection particulière, Paris.

La terrasse des Deux Magots, café qui fut après la seconde guerre mondiale un des hauts-lieux de l'existentialisme et de la vie littéraire. Jean-Paul Sartre, Jacques Prévert, Boris Vian… ont hanté ces lieux.

AUX DEUX MAGOTS

Here are the outdoor tables of the Deux Magots, a café which became a nucleus for existentialism and literary life after the Second World War. Jean-Paul Sartre, Jacques Prévert, Boris Vian and others were frequently seen here.

EGLISE SAINT-GERMAIN-DES-PRES SOUS LA NEIGE

Vieillard (Lucien), Galerie Antoinette, Paris, 1981.

C'est la plus ancienne des grandes églises de Paris, mais plusieurs fois agrandie, restaurée, elle ne ressemble plus guère à ce qu'elle était au XIe siècle, le centre d'une des plus puissantes abbayes de la chrétienté.

EGLISE SAINT-GERMAIN-DES-PRES SOUS LA NEIGE ("The church of Saint-Germain-des-Prés in Snow")

This is the oldest of the great churches of Paris, but having been enlarged and restored several times, it no longer looks as it did in the eleventh century, when it was the centre of one the most powerful monasteries of Christianity.

PLACE SAINTE-GENEVIEVE

Bonnin (Maurice), Galerie Naïv'Art, Paris, 1981.

Sur cette toile de Bonnin qui représente la place Sainte-Geneviève, on distingue à droite une partie de la façade de Saint-Etienne-du-Mont, derrière le Panthéon. En tournant à gauche, au coin du « Vieux Paris », on descend la pittoresque rue de la Montagne-Sainte-Geneviève jusqu'au boulevard Saint-Germain et à la place Maubert.

PLACE SAINTE-GENEVIEVE

On this canvas by Bonnin showing the place Sainte-Geneviève, part of the facade of Saint-Etienne-du-Mont, behind the Panthéon, can be seen. Turning right, on the corner where the "Vieux Paris" café is located, one descends the picturesque rue de la Montagne-Sainte-Geneviève down to the boulevard Saint-Germain and the place Maubert.

LE CAFE DES ARTS

Klissak, Galerie Mona Lisa, Paris.

Ce tableau s'appelle également place du Panthéon. Parmi les célébrités du premier plan on reconnait Salvador Dali. A gauche du Panthéon, l'église Saint-Etienne-du-Mont, la bibliothèque Sainte-Geneviève et le lycée Henri IV.

LE CAFE DES ARTS

The painting is also called Place du Panthéon. Among the celebrities in the foreground is Salvador Dali. Right of the Panthéon stands the church of Saint-Etienne-du-Mont, the Sainte-Geneviève Library and the Lycée Henri IV.

RUE FEROU

Rimbert (René), Collection Pierre Guénégan, Paris, 1981.

Près de l'église Saint-Sulpice, dont on aperçoit les tours, la rue Férou garde un aspect provincial. Elle fut ouverte un peu avant 1517 sur des terrains qui sous Louis XII formaient « le clos Férou » du nom de son propriétaire. Au n° 11 vécut Ernest Renan.

RUE FEROU

Near the church of Saint-Sulpice, whose towers can be seen here, the rue Férou has the appearance of a small town. It was opened just before 1517 on ground which made up "Férou Yard", named after its owner. Ernest Renan lived at number 11.

PLACE DE L'ODEON

Arcambot (Jean-Pierre), Collection particulière.

Elle tient son nom du Théâtre de l'Odéon. Construit en 1783 pour la troupe des Comédiens français, son nom actuel, Odéon, qui, dans la Grèce antique désignait une salle où se déroulait les concours musicaux, ne lui a été donné qu'en 1797.

PLACE DE L'ODEON

This square is named for the Odéon Theatre. Built in 1783 for the theatrical troupe Comédiens Français, the Odéon bears its present name only from 1797 — the word designated a room where musical competitions were held in ancient Greece.

J.Guénégan

PLACE FURSTENBERG

Guénégan (Jean), Collection particulière, Paris.

Elle a été créée par le cardinal Furstenberg en 1699, sur l'emplacement des écuries de l'abbaye Saint-Germain-des-Prés : les n° 6 et 8 sont un reste des communs. Le peintre Eugène Delacroix vécut et mourut en 1863 au n° 6. Son atelier et son appartement occupent aujourd'hui un musée qui lui est consacré.

PLACE FURSTENBERG

This square was created by Cardinal Furstenberg in 1699, on the site of the stables of the Abbey of Saint-Germain-des-Prés: numbers 6 and 8 are what is left of the outbuildings. The painter Eugène Delacroix lived at number 6, where he died in 1863. His studio and appartment are today the Delacroix museum.

LE SENAT SOUS LA NEIGE

Bouchon, Galerie Antoinette, Paris, 1983.

Le palais du Luxembourg a été construit à partir de 1615 par Salomon de Brosse, pour Marie de Médicis, veuve de Henri IV, qui s'y installe en 1625. Prison sous la terreur, agrandi au XIXᵉ siècle, le palais du Luxembourg est aujourd'hui le siège du Sénat.

LE SENAT SOUS LA NEIGE ("The Senate in the Snow")

The Luxemburg Palace was built beginning in 1615 by Salomon de Brosse for Marie de Médicis, widow of Henry IV, who came to live there in 1625. A prison during the Terror, and then enlarged during the nineteenth century, the Luxemburg Palace is today the seat of the Senate.

AUTOUR DE LA MOUFF

Salaün (André), Musée du Vieux-Château, Laval.

Quartier populaire et animé, le quartier de la Mouff, dans le Vᵉ arrondissement, est célèbre pour son marché particulièrement coloré le dimanche. A droite l'église Saint-Médard.

AUTOUR DE LA MOUFF ("Around the Mouff")

Working-class and busy, the neighbourhood around Mouffetard in the fifth arrondissement is famous for its market, particularly colourful on Sundays. At the right stands the church of Saint-Médard.

LE HAMMAM DE LA MOSQUEE

Bonieux (Geneviève), Collection particulière, Paris 1983.

Près du Jardin des Plantes, l'Institut musulman regroupe trois parties : religieuse avec la mosquée, intellectuelle avec l'Institut d'Etudes musulmanes, et commerciale avec un restaurant, des boutiques et le hamman. Style hispano-mauresque de 1922-1926.

LE HAMMAM DE LA MOSQUEE ("Turkish Baths at the Mosque")

Near the Plant Garden, the Moslem institute has three parts: religious, with the mosque, intellectual, with the Institut of Moslem Studies, and commercial, with a restaurant, shops and the turkish baths. Hispano-moorish style from 1922-1926.

43

MARCHE AUX PUCES

Fous (Jean), Musée du Vieux-Château, Laval.

Mardi aux Puces du Kremlin-Bicêtre au sud de Paris, représenté ici. On y trouve de tout : vêtements d'occasion, brocante ... Celui de Clignancourt, aujourd'hui le plus important, comprend plus de 2.000 boutiques d'antiquaires et de brocanteurs qui ont rejeté les fripiers à la périphérie du marché.

MARCHÉ AUX PUCES ("The Flea-Market")

Flea market in Kremlin-Bicêtre, south of the city, shown here. You can find everything there: old clothes, all kinds of second-hand goods, etc. The flea-market at Clignancourt, today the largest in Paris, counts today more than 2000 antique and second-hand shops, which have driven the rag-sellers out to the outskirts of the market.

LE PARC MONTSOURIS

Dessus (Patrice), Collection particulière, Paris.

Le parc Montsouris aménagé de 1868 à 1878 est un jardin à l'anglaise légèrement vallonné, agrémenté d'un lac artificiel qui s'étend sur seize hectares. Henri Rousseau, dit le Douanier, ancêtre des peintres « naïfs » vivait à proximité du parc Montsouris et s'y promenait souvent.

LE PARC MONTSOURIS

Montsouris park was created from 1868 to 1878. It is a 16-hectare English garden on rolling ground with an artificial lake. Henri Rousseau or "Le Douanier", one of the forefathers of the primitive moderns, lived near Montsouris park and often went for walks there.

BEAUBOURG

Bollar (Gorki), Collection Jean Hervas, Paris 1983.

Sur le plateau de Beaubourg, le Centre Georg Pompidou, dû à l'initiative du Président dont il port nom, tut achevé en 1977. L'œuvre des architec Richard Rogers et Renzo Piano a suscité autant commentaires que la Tour Eiffel en son temps ! Cer d'art contemporain aux activités multiples « Be bourg » ne cesse depuis son ouverture de drainer foules.

BEAUBOURG

Construction of the Georges-Pompidou Centre v completed in 1977. Located on the flats of Be bourg, it was named for the president whose initia was at its origin. This structure by the archite Richard Rogers and Renzo Piano caused as mu comment as the Eiffel Tower in its time! A centre contemporary art with numerous activites, "Be bourg" continues to draw crowds since its opening

HOTEL DE VILLE

Bouchon, Collection particulière, Paris.

L'Hôtel de Ville incendié sous la Commune 1871 a été reconstruit de 1872 à 1884 en style né renaissance. La partie centrale reproduit fidèleme l'ancienne façade qui datait du XVIe siècle.

HOTEL DE VILLE

The City Hall, burned during the Paris Commune 1871, was rebuilt from 1872 to 1884 in ne Renaissance style. The central part is a faithful rep duction of the former facade dating from the sixteer century.

RUE FRANÇOIS-MIRON

Hennin (Gaston), Musée du Vieux-Château, Laval, 1974.

C'est un prévôt des marchands du début du XVIIe siècle qui donna son nom à cette rue du Marais, tronçon de l'ancienne rue Saint-Antoine, qui relie l'église Saint-Gervais à l'église Saint-Paul.

RUE FRANCOIS MIRON

A chief of municipal administration at the beginning of the seventeenth century gave his name to this street in the Marais, which is a part of the former rue Saint-Antoine linking the church of Saint-Gervais to the church of Saint-Paul.

PLACE DES VOSGES

Donati (Valentina), Collection de l'artiste, Paris.

Née de la volonté d'Henri IV, c'est la première place monumentale de Paris, inaugurée en 1612, deux ans après la mort du roi. Les trente-huit pavillons sur arcade qui bordent la place — l'un d'eux est occupé par le musée Victor Hugo — forment un ensemble d'une remarquable homogénéité.

PLACE DES VOSGES

Born of the will of King Henry IV, this is the first major square in Paris, inaugurated in 1612, two years after his death. The 38 buildings with arcaded fronts around the square — one of them houses the Victor Hugo Museum — make up a remarkably unified structure.

LA BASTILLE

Verger (René), Galerie Antoinette, Paris.

La place de la Bastille est liée au passé révolution-naire de la France. Le 14 juillet 1789, le peuple de Paris prend la Bastille, forteresse et prison, symbole de la monarchie absolue et de l'arbitraire royal. Une ligne de pavés marque sur le sol actuel les contours de la Bastille démolie aussitôt après 1789. La colonne sur-montée du Génie de la Liberté commémore les jour-nées révolutionnaires de juillet 1830.

LA BASTILLE

The place de la Bastille is linked to France's Revolu-tionary past. On 14 July 1789, the people of Paris took the Bastille itself, a fortress and a prison, symbol of absolute monarchy and royal despotism. A line of paving-stones on the ground marks today the outline of the Bastille which was destroyed shortly after 1789. The column topped by the "Genius of Liberty" com-memorates the revolutionary days of July 1830.

PLACE DES VOSGES

Guénégan, Collection particulière, Paris.

La place des Vosges, à l'angle de la rue des Francs-Bourgeois, au cœur du Marais.

PLACE DES VOSGES

The place des Vosges is shown here from the corner of the rue des Francs-Bourgeois, in the heart of the Marais.

J. Guénégan

RUE SAINT-ANTOINE

Hennin (Gaston), Musée du Vieux-Château, Laval.

Une des plus vieilles rues de Paris puisqu'il s'agit de l'ancienne voie romaine Paris-Melun. Elle relie la place de la Bastille à la rue de Rivoli et compte deux monuments importants : l'église Saint-Paul-Saint-Louis de style jésuite et l'Hôtel de Béthune-Sully, au n° 62.

RUE SAINT-ANTOINE

This is one of the oldest streets in Paris, since it is the ancient Roman way from Paris to Melun. It links the Place de la Bastille to the Rue de Rivoli and includes two important monuments: the church of Saint-Paul-Saint-Louis, in the style of the Jesuits, and the Hôtel de Béthune-Sully, at number 62.

LA RAFLE

Salaün (André). Collection de l'artiste. Paris.

Prostituées en goguette … le client s'éloigne sur la pointe des pieds … les « flics » débarquent.

LA RAFLE ("The Raid")

The prostitutes are a bit tipsy… the client sneaks away on tip-toe… the "cops" arrive.

RUE DES BLANCS-MANTEAUX

Haddelsey (Vincent), Collection particulière.

La rue des Blancs-Manteaux, dans le Marais, relie la rue du Temple à la rue Vieille-du-Temple. Elle doit son nom à l'habit blanc des « Serfs de la Vierge », frères mendiants originaires de Marseille qui s'installèrent en 1258 autour de l'église des Blancs-Manteaux, qui elle ne date que de la fin du XVIIe siècle.

RUE DES BLANCS-MANTEAUX

The Rue des Blancs-Manteaux owes its name to the white habits of the "Serfs of the Virgin", an order of mendicant friars founded .in Marseille, who moved to the area around the Church of the Blancs-Manteaux in 1258. The church itself only dates from the end of the seventeenth century.

LA PORTE SAINT-MARTIN

Vivin (Louis), Collection Dina Vierny, Paris, 1935.

Elevée par Pierre Bullet en 1674. Les sculptures de part et d'autre de l'arcade centrale rappellent, ainsi que l'inscription en latin, qu'elle commémore les victoires de Louis XIV, en particulier la prise de Besançon.

LA PORTE SAINT MARTIN

The Porte Saint Martin was erected by Pierre Bullet in 1674. The sculptures on either side of the central archway, and the inscription in Latin, are in honour of the victories of Louis XIV, in particular the conquest of Besançon.

LES HALLES

Hennin (Gaston), Musée du Vieux-Château, Laval.

Hennin a peint l'intérieur d'un des pavillons de Baltard, architecte des anciennes Halles construites de 1845 à 1866. Trop à l'étroit, elles ont été en 1969 transférées à Rungis au sud de Paris. Les pavillons de Baltard ont été malheureusement détruits pour laisser la place à la plus importante opération d'urbanisme entreprise depuis celle du baron Haussmann. Le Forum en est la première manifestation. L'un des pavillons a cependant été sauvé et remonté à Nogent-sur-Marne à l'est de Paris.

LES HALLES

Hennin painted the interior of one of the market buildings built by Baltard, architect of the old covered market (les Halles). Too small, the market was transferred in 1969 to Rungis, south of Paris. Baltard's constructions were unfortunately demolished to make room for the largest urban project since Baron Haussmann's time: the Forum is the first creation. One of the buildings was saved, however, and re-assembled at Nogent-sur-Marne, east of Paris.

PLACE DES VICTOIRES

Donati (Valentina), Collection de l'artiste, Paris, 1975.

La place des Victoires doit son existence au maréchal de la Feuillade. Désireux de plaire à Louis XIV, il commande une statue du roi au sculpteur Desjardins. La place sera conçue comme un écrin par le grand architecte Jules Hardouin-Mansart, qui est aussi l'architecte de la place Vendôme.
Valentina Donati qui a peint ce tableau pendant « l'année de la femme » a remplacé le roi par une femme. Il n'y a pas un seul homme sur la place des Victoires, même pas aux fenêtres !

PLACE DES VICTOIRES

The place des Victoires owes its existence to the maréchal de la Feuillade. Hoping to please Louis XIV, he commissioned a statue of the king to be made by the sculptor Desjardins. The square was designed as a setting for it by the great architect Jules Hardouin-Mansart, who also designed the Place Vendôme. Valentina Donati, who painted this scene during the "Year of the Woman", replaced the king by a woman. There is not a single man on her "Place des Victoires", not even in the windows !

57

L. VIVIN

JARDINS DU PALAIS ROYAL

Vivin (Louis), Collection Jean Guénégan, Paris.

Louis-Philippe d'Orléans — le père du roi Louis-Philippe — toujours à court d'argent fit construire des maisons de rapport sur les trois côtés des jardins du Palais-Royal. Haut lieu de l'agitation révolutionnaire en 1789, le Palais-Royal se transforme en tripot. La fermeture des maisons de jeu en 1838 ramène le calme sous les arcades.

JARDINS DU PALAIS ROYAL

Louis-Philippe d'Orléans — the father of the king Louis-Philippe — who always was in need of money — had profit-yielding houses built on three sides of the gardens of the Palais-Royal. Centre of revolutionary agitation in 1789, the Palais-Royal was transformed into a gambling den. When gambling halls were closed in 1838, peace was brought back to the arcades.

LES FLEURS DU PALAIS-ROYAL

Dessus (Patrice), Collection particulière.

En réalité, la scène représente la place Colette devant la Comédie-Française, nom que Louis XIV donna à la troupe qui regroupait en 1680 les comédiens de l'Hôtel de Bourgogne et ceux de l'ancienne troupe de Molière.

LES FLEURS DU PALAIS-ROYAL ("Flowers of Palais-Royal")

In reality, the scene shown here is the place Colette, in front of the Comédie Française, a theatre troupe given this name by Louis XIV, and which united in 1680 the actors belonging to the Hôtel de Bourgogne troupe and those of the Molière's former troupe.

SAINT-AUGUSTIN

Anonyme français, Musée International d'Art Naïf Anatole Jakovsky, Nice, 1860. (daté et signé en bas à droite « Cocu Paul »).

Victor-Louis Baltard, architecte des pavillons des Halles, aujourd'hui disparus, employa pour la première fois une armature métallique pour la construction d'une église (1860-1871).

SAINT-AUGUSTIN

Victor-Louis Baltard, architect who built the Paris covered market which has disappeared today, used metal structure for the first time for constructing a church (1860-1871).

PLACE VENDOME

Donati (Valentina), Collection de l'artiste, Paris, 1977.

Conçue par l'architecte Jules Hardouin-Mansart, les travaux s'échelonnent de 1702 à 1720. C'est l'ensemble architectural le plus hamonieux de Paris. Au centre, la colonne haute de 44 mètres a été fondue avec les 1 200 canons pris par les armées napoléoniennes à Austerlitz. Elle remplaça en 1810 une statue colossale de Louis XIV détruite à la révolution. Au sommet de la colonne la statue de Napoléon 1er en César.

PLACE VENDOME

Designed by the architect Jules Hardouin-Mansart, work on the place Vendôme lasted from 1702 to 1720. This is the most harmonious architectural compositions in Paris. In the centre there is a column, 44 metres high, which was made by smelting 1,200 cannons captured by Napoleon's armies at the Battle of Austerlitz. In 1810, it replaced, a colossal statue of Louis XIV which had been destroyed during the Revolution. At the top of the column is a statue of Napoléon, depicted as Roman emperor.

L'OPERA

Salaün (André), Collection de l'artiste, Paris.

Première scène lyrique, l'Opéra a été construit par l'architecte Charles Garnier qui n'avait que 35 ans lorsqu'il entreprit les premiers travaux en 1860. Avec 11.000 m² de superficie c'est le théâtre le plus spacieux du monde. La hauteur de la scène correspond à celle d'un immeuble de 11 étages et le grand lustre pèse plus de 6 tonnes.

L'OPERA

Principal opera house, the Paris Opera was built by the architect Charles Garnier, who, when work started in 1860, was only 35 years old. With 11,000 m² of surface area, it is the largest theatre in the world. The height of the stage corresponds to the height of an eleven-storey building and the main chandelier weighs more than 6 tons.

L'ELYSEE

Donati (Valentina), Collection de l'artiste, Paris.

Construit en 1718 pour le comte d'Evreux, le palais de l'Elysée est depuis 1873 la résidence des présidents de la République. Entre ces deux dates l'Elysée a été habité par Madame de Pompadour et par l'impératrice Joséphine avec un intermède : sous la Révolution c'était un bal public.

L'ELYSEE

Built in 1718 for the Comte d'Evreux, the Elysée Palace has been since 1873 the residence of Presidents of the Republic. Between these two dates, it was inhabited by Madame de Pompadour and by the Empress Joséphine, with one interlude: during the Revolutiuon, it was a public dance hall.

MAXIM'S

Perol, Collection particulière, Paris, 1983.

Au n° 3 de la rue Royale, près de la place de la Concorde, ce célèbre restaurant occupe l'hôtel du duc de Richelieu, premier ministre sous Louis XVIII.

MAXIM'S

This famous restaurant is located at number 3 of rue Royale, near the place de la Concorde, where it is housed in the mansion belonging to the Duc de Richelieu, prime minister under Louis XVIII.

PLACE DE LA CONCORDE

Restivo (Antonio). Musée International d'Art Naïf Anatole Jakovsky, Nice, 1969.

Cette place s'appela d'abord « place Louis XV » puis « place de la Révolution ». Conçue par l'architecte Jacques-Ange Gabriel (1755 à 1775). C'est un endroit de prédilection pour admirer la perspective du Louvre à l'Arc de Triomphe. Au centre de la place, l'Obélisque provient du temple de Ramsès II à Louxor et fut offert par Méhémet Ali à Louis-Philippe.

PLACE DE LA CONCORDE

This open square was first called "Place Louis XV", then "Place de la Révolution". Designed by the architect Jean-Jacques Gabriel, (1755 to 1775). It is an ideal spot to admire the view from the Louvre to the Arc de Ṭriomphe. In the centre stands the Obelisk, which came from the temple of Ramses II at Luxor and was a gift to Louis-Philippe by Mehmet Ali.

LA CONCORDE

Fous (Jean), Galerie Pro Arte, Collection Kasper, Morges (Suisse).

La place de la Concorde vue de l'angle sud-est près de l'Orangerie : on aperçoit, derrière l'Obélisque, à gauche l'hôtel Crillon, à droite la silhouette de l'église de la Madeleine et l'hôtel de la Marine qui abrite depuis 1792 le ministère de la Marine, enfin à l'extrême droite quelques arbres de la terrasse du Jeu de Paume.

LA CONCORDE

The Place de la Concorde is shown here from a southeastern angle, near the Orangerie: behind the Obelisk, one can see the Hôtel Crillon on the left, and on the right the silhouette of the church of the Madeleine and the Hôtel de la Marine, which has housed the Ministry of the Marine since 1792. Lastly, on the far right, there are a few trees standing on the terrace of the Jeu de Paume.

L'ARC DE TRIOMPHE

Vivin (Louis), Collection Dina Vierny, Paris, 1936.

Voici en un raccourci naïf la place de l'Etoile, l'Arc de Triomphe et les Champs-Elysées, symbolisés par des terrasses de café. Les rares véhicules automobiles n'ont semble-t-il pas d'autre solution que de tourner en rond…

L'ARC DE TRIOMPHE

here is, in a primitive painting using foreshortened perspective, the place de l'Etoile, the Arc de Triomphe, and the Champs-Elysées, symbolised by the outdoor cafés. The rare automobiles, it would appear, have no other way to go except round and round…

AVENUE DE LA GRANDE-ARMEE

Guisol (Henri), Collection de l'artiste, Paris, 1970.

Percée sous l'administration du baron Haussmann, l'avenue de la Grande-Armée relie la place de l'Etoile à la porte Maillot. Elle prolonge les Champs-Elysées en direction de Neuilly et des gratte-ciel du quartier de la Défense.

AVENUE DE LA GRANDE-ARMEE

Built under Baron Haussmann, the avenue de la Grande-Armée links the place de l'Etoile to the porte Maillot. It is a continuation of the Champs-Elysees doing toward Neuilly and the skyscrapers of the Defense area.

68

L'ARC DE TRIOMPHE

Salaün (André).

Sa construction est ordonnée par Napoléon 1ᵉʳ en 1806 pour célébrer les armées françaises et n'est achevée qu'en 1836 par Louis-Philippe. André Salaün représente ici la Garde Républicaine défilant à cheval un 14 juillet. A droite sur la façade de l'Arc, on distingue la « Marseillaise » chef-d'œuvre de Rude.

L'ARC DE TRIOMPHE

Construcition of the Arc de Triomphe was started by Napoleon I in 1806, in honour of the French armies, and completed only in 1836 by Louis-Philippe. André Salaun shows here the Republican Guards on horseback in a parade on July 14. The "Marseillaise", a masterpiece sculpted by Rude, can be seen on the right wall of the facade.

LE PARC DES PRINCES

Schwartzenberg (Simon), Collection particulière, Paris.

Situé à la porte de Saint-Cloud, ce stade récemment rénové offre aux amateurs de football et de rugby 50 000 places assises et abritées.

LE PARC DES PRINCES

Located at the Porte de Saint-Cloud, this recently-renovated stadium provides 50,000 covered seats for soccer and rugby fans.

MOULIN DE LONGCHAMP

Eve (Jean), Collection Olivé, Paris 1954.

Dans le bois de Boulogne, le poumon occidental de Paris, le moulin de Longchamp dresse ses ailes entre l'hippodrome du même nom et la grande cascade. Ce moulin a été reconstruit sur l'emplacement du moulin de l'abbaye de Longchamp qui s'élevait ici.

MOULIN DE LONGCHAMP ("Windmill at Longchamp")

In the Bois de Boulogne, the western "lung" of Paris, stands the windmill of Longchamp, raising its sails between the racecourse bearing the same name and the "Grande Cascade" ("The Waterfall"). This windmill was rebuilt on the site of the windmill belonging to the monastery of Longchamp, located here.

71

LA TOUR EIFFEL

Klissak, Galerie Mona Lisa, Paris, 1976.

Avec beaucoup d'humour, Jean Klissak peint l'enthousiasme délirant des touristes qui « mitraillent » la Tour Eiffel. Un clin d'œil à son passé de photographe !

LA TOUR EIFFEL

With a great deal of humour, Jean Klissac painted the delirious enthousiasm of tourists "shooting" the Eiffel Tower. A wink at his photographer's past!

MA VIE

Blondel (Emile), Musée International d'Art Naif Anatole Jakovsky, Nice, 1952.

Oeuvre « autobiographique » où l'on retrouve comme l'explique Anatole Jakovsky, toutes les étapes de la vie du peintre qui se juxtaposent. « A 16 ans, il quitte Le Havre pour devenir mousse sur les terreneuviers, puis il est docker, ouvrier agricole et enfin chauffeur d'autobus à Paris. »

MA VIE ("My Life")

This is an "autobiographic" work of art, where, as Anatole Jakovsky explains, all the stages of the life of the artist are juxtaposed. "At 16, he left Le Havre to become cabin boy on the Newfoundland fishing vessels, then he was a stevedore, a farm worker, and at last a bus driver in Paris."

LES INVALIDES

Salaün (André), Collection de l'artiste, Paris.

Longue de près de 200 mètres, la façade des Invalides est dominée par le dôme qui renferme depuis 1840 le tombeau de Napoléon 1er. Fondé par Louis XIV l'hôtel des Invalides (1671-1676) abrite le musée de l'Armée, l'un des plus riches du monde.

LES INVALIDES

Almost 200 metres long, the facade of the Invalides is topped by the dome which contains, since 1840, the tomb of Napoleon I. Founded by Louis XIV, the Hôtel des Invalides (1671-1676) houses the Museum of the Army, one of the richest in the world.

LE DOME DES INVALIDES VU DE L'ECOLE MILITAIRE

Fous (Jean), Musée du Vieux-Château, Laval.

Le Dôme des Invalides, chef-d'œuvre de Jules Hardouin-Mansart, fut construit de 1679 à 1706. Brillant du feu de ses ors, surmonté d'un lanternon et d'une flèche dont la pointe est à 107 mètres au-dessus du sol, le Dôme abrite le tombeau de Napoléon.

LE DOME DES INVALIDES VU DE L'ECOLE MILITAIRE (The Dome of the Invalides Seen from the Military School)

The dome of the Invalides, a masterpiece by Jules Hardouin-Mansart, was built from 1679 to 1706. Glittering with gold, topped with a lantern window and a spire whose tip is 107 metres above ground level, the dome is located just over Napoleon's tomb.

MA TOUR EIFFEL

Lefranc (Jules), Collection Perrotin, Paris.

Le plus célèbre des monuments parisiens, le plus visité aussi. Haute de 300 m, elle pèse 7 000 tonnes. De 1887 à 1889, trois cents monteurs ont assemblé ce chef d'œuvre de l'architecture métallique.

MA TOUR EIFFEL ("My Eiffel Tower")

The most famous of Parisian monuments, and the most visited, is depicted here. 300 metres high, it weighs 7,000 tons. From 1887 to 1889, three hundred workmen assembled this masterpiece of metal architecture.

METRO VEDETTE

Arcambot (Jean-Pierre), Musée du Vieux Château, Laval.

Le métro fait partie, avec les catacombes et les égouts, du domaine souterrain de Paris. Les travaux du métropolitain ont commencé en 1898 et la première ligne (10 km), Porte Maillot-Porte de Vincennes, a été inaugurée en 1900.

METRO VEDETTE

The underground, along with the Catacombs and the Drains, is part of the "world underneath" Paris. Work on the underground started in 1898 and the first line (10 km), Porte Maillot-Porte de Vincennes, was inaugurated in 1900.

GARE DU NORD

Duranton (André), Collection particulière, 1981.

Simple « embarcadère du Nord » construit en 1845 pour la ligne qui ne desservait alors que Creil par Pontoise, la Gare du Nord a été construite en 1863, puis agrandie en 1898.

GARE DU NORD

Simple "northern platform" built in 1845 for the line which then only served Creil by Pontoise, the Gare du Nord was constructed in 1863 and then enlarged in 1898.

LES FOLIES-BERGERE

Salaün (André), Musée International d'Art Naïf Anatole Jakovsky, Nice.

Construit en 1869, au n° 32 de la rue Richier, dans le 9e arrondissement, les Folies-Bergère ouvrent la même année. Ses revues aux décors somptueux, ses ballets de girls aux costumes rutilants … ou sans costumes appartiennent à la mythologie parisienne.

LES FOLIES-BERGERE

Built in 1869 at number 32 rue Richier in the ninth arrondissement, the Folies-Bergère opened the same year. Its shows with their lavish scenery, its dance girls in glittering costumes — or without costumes at all — are part of Parisian mythology.

AU CAFE

Vivancos, Collection Jean Guénégan, Paris 1960.

Un bistrot traditionnel, jamais rénové, comme il n'en reste plus guère, si ce n'est dans quelques vieilles rues de Belleville ou de Ménilmontant.

AU CAFE

A traditional bistrot, a Parisian bar, never renovated, is shown here. Only a few like it still remain, in the old streets of Belleville or Ménilmontant.

L'ECLUSE

Arcambot (Jean-Pierre), Collection particulière.

Avec ses plans d'eau, ses écluses, ses arches métalliques et ses quais qui incitent à la rêverie, c'est un Paris insolite, celui d'« Hôtel du Nord », le célèbre film de Marcel Carné, des cafés populaires... Mais au-delà de l'écluse, le paysage change et jusqu'à la Villette, c'est le Paris industriel des entrepôts et des fabriques.

L'ECLUSE ("The Lock")

With its stretches of water, its locks, its metal archways and its quays which plunge us into a muse, this is a very special·Paris, the Paris of Marcel Carné's film « Hôtel du Nord », the Paris of simple cafés... Just beyond the lock, though, the scenery changes up to the Villette: here we have industrial Paris, with its factories and warehouses.

81

LE CANAL SAINT-MARTIN

Vivin (Louis).

Avec cette vue du canal Saint-Martin sous la neige, Vivin nous ramène au temps où les chevaux tiraient les péniches le long des chemins de halage. Plus curieux encore, cette péniche que l'on décharge sur un traineau tiré par un saint-bernard.

LE CANAL SAINT-MARTIN

With this scene showing the canal Saint-Martin in the snow, Vivin brings us back to the days when horses pulled the river barges along the towpaths. Even more curious is this river barge whose cargo is being unloaded onto a sled pulled by a Saint-Bernard.

LES BUTTES-CHAUMONT

Becker (Nadia), Collection particulière, Paris.

D'une étendue de 23 hectares, le parc des Buttes-Chaumont a été créé par le baron Haussmann sous le règne de Napoléon III que l'on voit ici comme le donateur dans un tableau primitif. Du petit temple construit sur un rocher, en partie artificiel, on a une très belle vue sur Montmartre et sur Saint-Denis.

LES BUTTES CHAUMONT

Covering 23 hectares, the parc des Buttes-Chaumont was created by Baron Haussmann under Napoleon III, shown here as the donator in a primitive painting. From the little temple built on a partially-artificial cliff there is a beautiful view over Montmartre and Saint-Denis.

Luc Vieillard

U LAPIN AGILE

eillard (Lucien), Collection particulière, Paris 1980.

Au carrefour de la rue Saint-Vincent et de la rue des
aules, le célèbre « Lapin Agile », anciennement
Cabaret des Assassins », était fréquenté par les écri-
ains et les artistes entre 1908 et 1914. Francis Carco,
oland Dorgelès, Picasso et Vlaminck parmi d'autres
aisaient partie des habitués. « Le Lapin Agile » doit
on nom au caricaturiste André Gill, qui a peint
enseigne.

U LAPIN AGILE ("At the Sign of the Nimble
abbit")

*At the crossroads of the rue Saint-Vincent and the
ue de Saules is the famous "Lapin Agile", formerly
Cabaret des Assassins", a favourite among writers
nd artists from 1908 to 1914. Francis Carco, Roland
Dorgelès, Picasso and Vlaminck were among its
atrons. "Le Lapin Agile" owes its name to the cartoo-
ist A. Gill, who painted the tavern sign.*

LACE DU TERTRE

uénégan (Jean), Collection particulière, Paris.

C'était la place publique du village d'autrefois,
ujourd'hui l'une des places les plus animées de Paris
vec ses cafés, ses artistes exposant leurs « croûtes »
u proposant d'exécuter votre portrait en un tourne-
ain.

PLACE DU TERTRE

*This was the public square of bygone days, today
ne of the most lively spots in Paris with its cafés,
rtists showing their "daubs" or offering to do your
ortrait in a wink.*

PLACE PIGALLE

Chalgalo, Collection Pierre Guénégan, Paris.

La place Pigalle occupe l'emplacement de l'ancienne barrière Montmartre qui fermait Paris au nord jusqu'en 1859. Autour du bassin et de son jet d'eau s'est tenu jusqu'en 1910 la foire aux modèles pour les peintres qui hantaient ce quartier. Avec ses « boîtes », ses « filles », la place Pigalle reste le haut-lieu du Paris canaille.

PLACE PIGALLE

The place Pigalle is located on the site of the old Montmartre wall, which closed Paris off to the north up to 1859. Around the fountain and its waterspout, the Model's Fair was held every year up until 1910 for the artist who frequented this neighbourhood. With its nightclubs and its "girls", place Pigalle remains the principal haunt of Parisian riff-raff.

LE MOULIN ROUGE

Salaün (André), Collection de l'artiste, Paris.

Sur la place Blanche, qui doit son nom à d'anciennes carrières de plâtre, le fameux Moulin rouge et son « French cancan » ont été immortalisés par Toulouse-Lautrec.

LE MOULIN ROUGE

On the place Blanche, which owes its name to the old plaster quarries, is the famous Moulin Rouge, which was immortalised, along with its "french cancan", by Toulouse-Lautrec.

RUE DE L'ABREUVOIR

Vivin (Louis), Collection Dina Vierny, Paris, 1930.

Il fut une époque où les troupeaux de moutons l'empruntaient pour se rendre à l'abreuvoir du village de Montmartre. C'est une petite rue pittoresque de la Butte, qui garde quelques traces de ses origines campagnardes qui lui valurent la faveur des peintres.

RUE DE L'ABREUVOIR ("Water-Trough Street")

There was a time when herds of sheep went through this street as they were driven to the water-trough of the village of Montmartre. It is a picturesque little street on the hill, still having some signs of its country origin which make it a favourite among painters.

LA RUE DE NORVINS

Blondel (Emile), Galerie Antoinette, Paris.

    La rue de Norvins relie la place du Tertre à l'avenue Junot. C'est une rue pittoresque du vieux Montmartre. Elle s'appelait auparavant rue des Moulins en raison des quatre moulins à vent qu'elle comptait.

LA RUE DE NORVINS

    The rue de Norvins links the place du Tertre with the avenue Junot. This is one of the picturesue streets of Old Montmartre. It was formerly called rue des Moulins ("Windmill Street") because of the four windmills that were found here.

89

LA PLACE CLICHY OU L'ENFER

Grim, Galerie Antoinette, Paris, 1959.

Carrefour animé, la place Clichy où se rejoignent quatre arrondissements occupe l'emplacement d'un ancien octroi. Au centre de la place un monument commémore la résistance que le maréchal Moncey opposa à cet endroit aux Alliés en mars 1814.

LA PLACE CLICHY OU L'ENFER ("Place Clichy or Hell")

A busy crossroads, the place Clichy, where four arrondissements touch, is built on the site of a former city toll. In the centre of the square is a monument commemorating Maréchal Moncey resisting the Allied armies in march 1814.

LE SACRE-COEUR

Vivin (Louis), Collection Dina Vierny, Paris, 1930.

Commencée en 1876, la basilique du Sacré-Cœur n'est consacrée qu'en 1919. L'intérieur est décoré de mosaïques. De la galerie extérieure (et par beau temps) vaste panorama. Le Sacré-Cœur demeure un des lieux les plus visités de Paris.

LE SACRE COEUR

Begun in 1876, the Basilica of the Sacred Heart was consecrated only in 1919. The interior is decorated with mosaics. From the outside gallery (and if the weather is nice) there is a panoramic view. The Sacré-Cœur remains one of the most visited sites in Paris.

Ghiglion-Green

PLACE EMILE-GOUDEAU, LE BATEAU-LAVOIR

Ghiglion-Green (Maurice), Collection particulière.

Elle doit son nom au poète montmartrois Emile Goudeau (1845-1906) et sa notoriété au Bateau-Lavoir.
Vers 1900, poètes et peintres y jetèrent les bases de la poésie et de la peinture modernes : Picasso y peignit en 1907 « Les Demoiselles d'Avignon », Van Dongen, Braque, Max Jacob, Matisse, Juan Gris, Mac Orlan et bien d'autres y vécurent. Incendié en 1970, il fut reconstruit en 1978.

PLACE EMILE GOUDEAU, LE BATEAU-LAVOIR ("The Wash-house")

This square owes its name to the poet Emile Goudeau (1845-1906), well known at the "Wash-house". Around 1900, it was there that poets and painters founded the principles of modern poetry and painting: Picasso painted his "Demoiselles d'Avignon" there in 1907, Van Dongen, Braque, Max Jacob, Matisse, Juan Gris, Mac Orlan and many others lived there.

LA VIGNE DE MONTMARTRE

Peter (Alfred-Ernest), Collection Jean-Pierre Peter, Paris 1965.

Cet arpent de vigne est ce qui reste d'un vignoble, jadis beaucoup plus important qui dépendait de l'abbaye de Bénédictines installée sur la Butte. Les vendanges toujours réjouissantes ont lieu au début du mois d'octobre.

LA VIGNE DE MONTMARTRE ("Vineyard on Montmartre")

This acre of grapevines is all that is left of a vineyard which was once much larger. It was part of the Benedictine Abbey located on the Butte. The wine harvest, always very merry, takes place in early october.

VUE PANORAMIQUE

Schwartzenberg (Simon), Collection de l'artiste, Paris.

Dans un raccourci saisissant, Schwartzenberg résume en un tableau tout Paris. Il ne manque rien, pas même le Moulin de la Galette.

VUE PANORAMIQUE

In a striking foreshortened perspective, Schwartzenberg resumes in one painting all of Paris. Nothing is missing, not even the Moulin de la Galette ("Biscuit" Windmill on Montmartre).

LA FETE A NEUILLY

Trottin (Hector), Musée du Petit Palais, Genève, vers 1920.

La fête à Neuilly n'existe plus … pas plus que Luna Park, porte Maillot. Seule des grandes fêtes foraines de Paris subsiste la foire du Trône, encore qu'elle ait été chassée du cours de Vincennes pour être transférée en 1965 au plateau de Reuilly dans le bois de Vincennes.

LA FETE A NEUILLY ("Village Fair in Neuilly")

The village fair in Neuilly no longer exists, no more than Luna Park at the porte Maillot. Only the large travelling fairs remain in Paris, such as the Foire du Trône, although even this fair was transferred in 1965 from the cours de Vincennes to the Reuilly flats in the bois de Vincennes.

95

LA CARRIOLE DU PERE JUINET

Henri Rousseau, dit le douanier.

LA CARRIOLE DU PERE JUINET ("Father Juinet's cart")

Henri Rousseau, called the "Douanier".

Promenades dans Paris

16 itinéraires de charme

16 attractive tours in Paris

Du Palais-Royal aux Halles par des passages curieux

Départ : place du Palais-Royal.

Tout à côté de l'ancienne place du Théâtre-Français, devenue place André-Malraux, si animée, se trouve un lieu clos, superbe, muet, ignoré des touristes : les jardins du Palais-Royal. L'on y pénétrera par la galerie d'Orléans, près de la place Colette, non sans avoir sous son bras «Les Illusions perdues» de Balzac. Tout y est décrit, du moins tel qu'à la belle époque du palais, vers 1830 : les agioteurs, les hommes de lettres, les demi-solde, et les nombreuses dames galantes... Tout ce monde s'y côtoyait au milieu des pavillons de Victor Louis (1760), également architecte de la Comédie-Française.

Prendre au nord le passage du Perron sous l'appartement de Colette où elle mourut en 1954. Traversons la rue des Petits-Champs pour emprunter la rue Vivienne tout en longeant à gauche l'ancien palais du cardinal Mazarin, aujourd'hui Bibliothèque Nationale. Au 6, la galerie Vivienne, pleine de charme, surtout dans sa seconde partie, se souvient de Vidocq (alias Vautrin chez Balzac) qui utilisait pour déjouer les ruses de la police les trois issues ! Avant de faire comme lui, ne manquez pas l'une des plus curieuses librairies d'ancien de Paris.

Notons que ces passages sont nombreux dans ce quartier : à l'ouest, à deux pas de l'avenue de l'Opéra, le passage de Choiseul (42, rue des Petits-Champs), à l'est, le passage du Caire (2, place du Caire) quintessence du Sentier, quartier de la confection de grande diffusion et des journaux à fort tirage.

Vous pouvez enfin sans vous mouiller les pieds, ou presque, aller de la Bourse aux Folies-Bergère (passage des Panoramas, passage Jouffroy, passage Verdeau).

Traverser la rue de la Banque pour arriver place des Petits-Frères où l'église Notre-Dame des Victoires est à l'intérieur couverte d'ex-voto. Plus de 50 000 pèlerins y viennent chaque année et les deux charmantes boutiques d'objets de piété surmontées de statues sont bien les dernières de Paris à voir passer tant de chalands. La minuscule rue Vide-Gousset nous conduit sur la place des Victoires. Nous quittons le XIXe siècle pour les fanfares du Roi Soleil et cette place ovale offerte au souverain par un de ses courtisans : La Feuillade. L'architecte n'est autre que Jules Hardouin-Mansart, celui de la place Vendôme et du château de Versailles.

Par la rue Croix-des-Petits-Champs regardez à droite la curieuse maison du XVIIIe siècle avec ses balcons, sa terrasse son encorbellement, longez la Banque de France pour arriver, 2, rue du Bouloi au passage Vero-Dodat, où flotte le souvenir de la tragédienne Rachel. Toutes les façades sont classées : vieilles glaces au mercure, colonnes en faux marbre, arcatures de cuivre, cornes d'abondance et même plafonds peints sous la saleté. Le spécialiste parisien des poupées anciennes y a son échoppe romantique.

Pour terminer notre promenade, pourquoi ne pas aller à 100 mètres de là, rue Saint-Honoré, au luxueux et passionnant «Louvre des Antiquaires», ou encore en traversant la rue de Rivoli découvrir la splendide cour carrée du Louvre, ou enfin les nus de bronze de Maillol qui animent les pelouses des jardins autour de l'arc de triomphe du Carrousel ? La perspective de cet arc de triomphe à celui de l'Etoile, en passant par l'obélisque de la Concorde, est la plus longue de Paris et mesure près de trois kilomètres.

From Palais-Royal to the Halles through curious passageways

Start: place du Palais-Royal

Right next to the busy place André-Malraux, formerly known as the place du Théâtre-Français, you will find a superb spot, completely shut off, quiet and unknown to tourists : the gardens of Palais-Royal. You enter through the galerie d'Orléans, near the place Colette. Don't forget to have a copy of Balzac's Lost Illusions *under your arm when you go. Balzac described the palace during the « Belle Epoque », around 1830, when it was peopled with gamblers, writers, half-pay officers, harlots... all of these lovely people rubbed shoulders amid the superb constructions of the architect Victor Louis (1760), who also designed the Comédie Française.*

At the north end, take the flight of stairs which passes under an apartment formerly belonging to Colette, and where she died in 1954. We'll cross the rue des Petits-Champs to walk down the rue Vivienne: on the left is a palace which belonged to Cardinal Mazarin, and which today is the National Library. At number 6, you will find the charming Galerie Vivienne, full of memories of the infamous Vidocq (Balzac's Vautrin), especially in its second part. Vidocq used its three entrances to escape from the police! Before doing as he did, don't miss one of the most curious old bookshops in Paris.

You will notice that these passageways are quite numerous in this neighbourhood: to the west, just a step from the avenue de l'Opéra, you'll find the passage de Choiseul (42, rue des Petits-Champs); to the east, the passage du Caire (2, place du Caire), highly characteristic of the Sentier neighbourhood, center of the garment business and where major newspapers are printed.

Last of all, you can walk from the Bourse (Paris Stock Market) almost to the Folies-Bergère (through the passage des Panoramas, passage Jouffrou, passage Verdeau) without even getting your feet wet!

Cross the rue de la Banque to reach the place des Petits-Pères where you will find the church of Notre-Dame-des-Victoires. The interior of Notre-Dame-des-Victoires is covered with votive offerings. More than 50,000 pilgrims come here every year and the two charming little shops, topped by statues, which deal in religious objects, are certainly among the last of Paris shops to serve so many of this type of customer. The tiny street rue Vide-Gousset brings us out into the place des Victoires. We leave the nineteenth century for the fanfares of the Sun King, and enter this oval-shaped square given to the sovereign by one of his subjects, La Feuillade. The architect is none other than Jules-Hardouin Mansart, who also designed the place Vendôme and the Château de Versailles. As you walk down the rue Croix-des-Petits-Champs, look to the right at the curious eighteenth-century house with its balconies, terrace, and cantilevers. Walk along the Bank of France to reach number 2 rue du Bouloi where the passage Vero-Dodat is located, imbued with the memory of the actress Rachel. All of theses facades are historical monuments: old mercury mirrors, false marble columns, copper arcatures, horns of plenty and even painted ceilings underneath the dirt. The romantic shop of the Parisian specialist in old dolls is located here. To end our walk, why not go 100 meters further to the rue Saint-Honoré, where you will find the exciting and luxurious "Louvre des Antiquaires", or, again, the bronze nudes sculpted by Maillol which enliven the gardens around the Arc de Triomphe of the Carrousel? The view from this small Arc de Triomphe up to the Arc de Triomphe of the Etoile, with the obelisk of the place de la Concorde in the middle, is one of the longest in Paris and measures almost three kilometers.

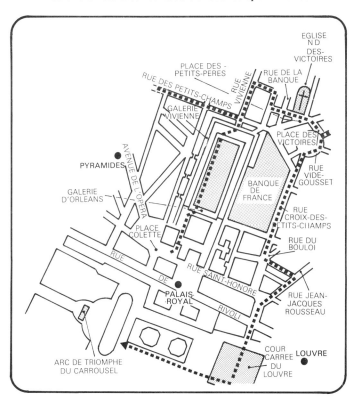

Le Marais : Saint-Paul à Saint-Gervais

Départ : place des Vosges.

La visite de ce quartier si connu et si méconnu ne peut être exhaustive, le pire et le meilleur s'y côtoyent. Sa réputation lui vient de ses hôtels particuliers entre cours et jardins et aussi de la célèbre place des Vosges par laquelle nous commencerons. Place tardive dans l'histoire du Marais lui-même, mis en valeur et assaini par des communautés religieuses entre le XIIᵉ et le XIVᵉ siècle. C'est Henri IV qui fit construire en 1610 cet ensemble de briques et de pierres aux grands toits d'ardoises. Voir les cours des nᵒˢ 9 et 23, le musée Victor Hugo au nᵒ 6. Par la rue de Birague, en passant sous le pavillon du Roi, dont l'effigie surplombe la voûte, prendre la rue Saint-Antoine. Au nᵒ 62, une merveille, l'hôtel Sully de 1630 : raffinement de la cour sculptée à l'italienne, perron, escalier, jardin sur le revers de l'immeuble et une exquise orangerie aux arcades gracieuses.

Ressortons rue Saint-Antoine pour visiter la spectaculaire église toute proche, à main droite, Saint-Paul-Saint-Louis, maison professe des Jésuites, qui au XVIIᵉ siècle faisaient la pluie et le beau temps à la Cour du Roi Soleil. A l'entrée de la nef, deux magnifiques bénitiers offerts en voisin par Victor Hugo, pour le baptême de sa fille Léopoldine.

Une petite porte à ne pas manquer, dans le bas-côté gauche débouche sur l'un des passages les plus typiques du vieux Paris avec ses bornes et ses maisons toutes de travers. Rue Saint-Paul descendre vers la Seine : plusieurs maisons au début de la rue ont leurs portes cochères qui débouchent sur l'îlot Saint-Paul. L'on a réhabilité ce quartier en y installant une cour des antiquaires qui ne manque pas de charme. A deux pas, vous pouvez voir un des plus vieux vestiges de Paris, il est de taille ! Dans le terrain de jeux qui longe la rue des Jardins-Saint-Paul, c'est le rempart de Philippe-Auguste de la fin du XIIᵉ siècle. De là, vue sur le chevet de l'église St-Paul et sa coupole.

A quelques mètres, rue du Figuier, l'hôtel des archevêques de Sens est un des derniers vestiges de l'architecture du XVᵉ siècle flamboyant. A la pointe de l'ogive de la porte cochère, un décrochement permettait de jeter de l'huile bouillante sur les assaillants. Regrettons que les promoteurs aient saccagé l'environnement de l'hôtel de Sens, encore ancien il y a 20 ans ! Le petit jardin à la française sur le revers nous consolera : bordures de buis gracieuses et murmure du jet d'eau. Autre façade superbe, celle de l'hôtel des ducs d'Aumont, construit par François Mansart vers 1650, aujourd'hui siège du tribunal administratif de la Seine.

Tout en prenant la rue de l'Hôtel-de-Ville, jetez un coup d'œil sur la petite « grille de marchand de vin » à l'angle de la rue des Barres et de la rue du Pont-Louis-Philippe, vestige classé d'un temps où les cabaretiers devaient avoir leur boutique close d'une grille. Le serrurier du coin pouvait dans son naïf talent l'orner selon son imagination.

Beau point de vue sur l'église Saint-Gervais, dont on ne manquera pas de voir à l'intérieur les vitraux de la Renaissance, mais aussi l'un des plus vieux orgues de Paris un «Clicquot» du XVIIIᵉ siècle. Les Couperin furent pendant deux siècles d'arrière-grands-pères en petits-fils les doigts magiques qui animèrent ces superbes jeux. Peut-être aura-t-on envie de ressortir par le chevet et de contempler avec nostalgie la petite maison à pignon de la rue du Grenier-sur-l'Eau, c'est l'un des coins les plus séduisants du vieux Paris, et rue des Barres au nᵒ 15, admirer à travers une grille les vestiges de la galerie de l'ancien charnier de Saint-Gervais ?

Third and fourth arrondissements: the Marais

Start: place des Vosges

No single visit could ever reveal this neighbourhood completely, well-known and yet unknown at the same time; the best and the worst are to be found here. Its reputation comes from the famous place des Vosges. Here is where we shall start. The place des Vosges is a latecomer in the history of the Marais itself, this "Marais" (the term means "marsh") which was drained and built up by religious communities between the twelfth and fourteenth centuries. Henry the Fourth built this group of painted brick and stone structures, with their impressive slate roofs, in 1610. You will want to see the courtyards of numbers 9 and 23, as well as the Victor Hugo Museum at number 6. Go down the rue de Birague, passing beneath the residence of the king, whose statue tops the arch, to reach the rue Saint-Antoine. At number 62, you will find the marvellous hôtel Sully, built in 1630, with its highly refined courtyard in the italian style, its entrance, stairs, gardens behind the building, and beyond them, an exquisite orange garden with gracious arches.

Let us leave by the rue Saint-Antoine to visit the spectacular church close by on the right, Saint-Paul (Saint-Louis), professed house of the Jesuits, who were a major influence at the court of the Sun King during the seventeenth century. At the entrance to the nave of the church, you will see two magnificent holy-water fountains donated by the church's neighbour, Victor Hugo, upon the baptism of his daughter Léopoldine.

There is a little door you should not miss, in the smaller nave on the left side, which lets you out into one of the most characteristic passageways of old Paris, with its roadstones and houses quaintly crooked. Rue Saint-Paul leads down to the Seine: several of the houses at the beginning of the street have main entrances on the Saint-Paul bank of the river. A charming gallery of antiques created in this neighbourhood has contributed to its rehabilitation. Just a step away, you can see one of the oldest vestiges of Paris, and it is an important one indeed — on the playground along the Gardens of Saint Paul, you will find one of the fortified ramparts of the city built by Philippe-Auguste at the end of the twelfth century. From there, you have a beautiful view up to the apse and the dome of Saint-Paul's church.

A few meters further away, on the rue du Figuier, the archbishops of Sens, during the fifteenth century, built their mansion, which remains today one of the last vestiges of this flamboyant architecture. A set-back on the pointed arch over the carriage gateway was used to pour boiling oil onto attackers. It is most regrettable that building promoters have destroyed the old neighbourhood just around the Hôtel de Sens, which was still intact 20 years ago.

The little French garden at the back of the house provides some consolation, with its box hedges and the murmur of its fountain.

Another superb facade is that of the mansion belonging to the Dukes of Aumont, built by François Mansart around 1650, which today is the seat of the administrative tribunal for the department of the Seine.

As you go down the rue de l'Hôtel-de-Ville, do have a look at the "wine merchant's gate", just at the corner of the rue des Barres and the rue du Pont Louis-Philippe, since this is a classified vestige of the days when bar-keepers were required to close off their shops with a grille. Neighbourhood smiths used all of their simple talents to decorate them imaginatively.

Here, you also have a fine view of Saint-Gervais church. You should not miss seeing its Renaissance stained-glass windows, as well as its organ, one of the oldest in Paris, a "Clicquot" made in the eighteenth century. The Couperin family, from great-grandfather down to great-grandsons, provided during two centuries the magic fingers which played these superb pipes. Perhaps you may like to leave the church by the apse, for a nostalgic view of the little gabled house on the rue du Grenier-sur-L'eau. This is one of the most charming spots of old Paris. At number 15 of the rue des Barres, you have an admirable view through the grille of the vestiges of the former ossuary of Saint-Gervais.

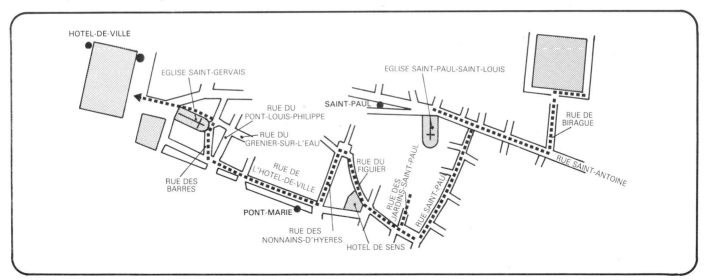

Promenade dans l'île Saint-Louis

Départ : sur le Pont-Marie.

L'île Saint-Louis est un bijou parisien, un quartier provincial au milieu de l'eau. Ses habitants se nomment «les Louisiens» et lorsqu'ils passent les ponts disent «nous allons à Paris».

Une fois le pont traversé, ne pas s'attarder sur le quai, car en hiver, la bise y souffle ; on le surnommait le quai des morfondus, comme son voisin de l'île de la Cité, le quai de l'Horloge. L'on y trouve le plus bel écrin doré du XVIIᵉ siècle, au n° 17 du quai d'Anjou, l'hôtel Lauzun (qui hélas ne se visite que très rarement). C'est le même architecte, Le Vau, qui construisit aux nᵒˢ 9 et 11 l'hôtel Lambert, mieux orienté et qui de plus, chose rare dans l'île, possède un superbe jardin. Nous ne pouvons qu'y rêver car on ne visite pas. Toutefois pourquoi ne pas évoquer Madame du Châtelet et son ami Voltaire, ou encore au XIXᵉ siècle Chopin, qui y vint souvent jouer au milieu des Polonais de Paris.

Prendre la rue Saint-Louis-en-l'Ile (l'on voit plus loin le curieux campanile de pierre ajourée de l'église) et tourner dans la rue de Bretonvilliers en passant sous l'arcade. Tiens, le temps devient plus clément, nous allons vers le sud : 4 à 5 degrés de plus à longueur d'année ! Malgré la grille, jetez un œil sur la charmante courette du n° 6 et son escalier à balustres de chêne. Quai de Béthune on flâne à souhait, beaux hôtels à balcons, portes cloutées (n° 20, 22). Ne manquez pas la cour-jardin du n° 18, Hôtel de Richelieu (entrez discrètement, elle est privée) : retournez-vous, la façade est moulurée, les pavés sont anciens, ainsi que l'entrée des écuries à droite. Le marquis de Richelieu, pourvoyeur des fêtes du Régent, en donna ici de célèbres pour lui-même.

En amont, vers la rive gauche, se dresse la statue de sainte Geneviève. Notre sainte patronne regarde vers l'amont de la rivière en souvenir du temps des invasions où son reliquaire, porté en procession, était censé effrayer les assaillants. La Tour d'Argent, dont l'immeuble sur la rive gauche est surmonté d'un drapeau, est le plus vieux restaurant de Paris. Fondé en 1582, l'on s'y servit pour la première fois d'une fourchette.

Continuons notre promenade sur le quai d'Orléans, en passant devant la maison du poète romantique Arvers au n° 12 : son balcon à courbures est une merveille. Nous allons directement vers le chevet de Notre-Dame, située dans l'île voisine, d'ici avec un peu plus de recul le coup d'œil est incomparable. A la pointe extrême de l'île Saint-Louis, la petite place avec la «maison du Centaure» dont on dit qu'elle est posée «là comme une lanterne sur l'eau». Le quatorze juillet, un petit bal y donne une note naïve et provinciale. Retournons maintenant vers la rue Saint-Louis-en-l'Ile, la première de Paris à être tracée au cordeau. Elle présente au n° 51 une façade Louis XV exceptionnelle, celle de l'hôtel de Chenizot, et son balcon à chimères est un modèle du genre.

Les promeneurs gourmands m'en voudraient si je ne leur signalais pas l'un des meilleurs glaciers de Paris, Berthillon, à l'angle de la rue des Deux-Ponts. Qu'ils s'arment de patience ! Voulez-vous maintenant passer sur la rive gauche ?

A Walk through the Ile Saint-Louis.

Start: on the Pont-Marie

This is one of the jewels of Paris, a provincial neighbourhood surrounded by water. The people who live here are called "the Louisians", and when they cross the bridges, they say that they are "going to Paris".

To start, let's take the north side. Once you have crossed the Pont-Marie, if it is wintertime, do not linger too long on the quay: the wind blows so sharply there that it was nicknamed "the frozen embankment" like its neighbour on the Ile de la Cité, the "clock embankment". Here, at number 17 Quai d'Anjou, at the Hôtel Lauzun (unfortunately, rarely visited), you can see one of the most beautiful gilded jewel-boxes of the seventeenth century. The architect who built the Lauzun mansion, Le Vau, also built the Hôtel Lambert, located at number 9 to 11, which is better placed and which has a splendid garden, quite a rare thing on the island. We can only dream about it, since the mansion is not open to visitors. But we might mention Madame du Chatelet and her friend Voltaire, or, in the nineteenth century, Chopin, who came here often to play for the Polish community of Paris.

Take the street rue Saint-Louis-en-l'Ile (where you can see, farther down, the curious bell-tower of lattice-work stone) and turn into the rue de Bretonvilliers, passing under the arch. You may notice that the weather is warmer — we are going south, and it is actually 4 to 5 degrees warmer here all year long. In spite of the gates, look

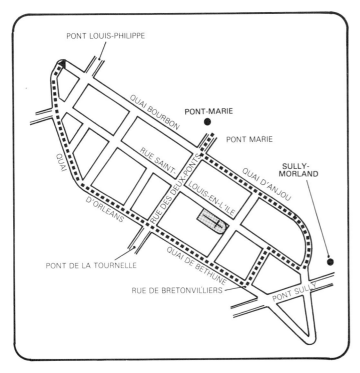

into the charming courtyard at number 6, to admire its staircase with its oak balustrades. Take your time to wander along the Quai de Bethune, to see the beautiful balconied mansions and nail-studded doors (at numbers 20 and 22). Be sure not to miss seeing the garden courtyard at number 18, Richelieu's mansion (do go in discreetly, as this is a private residence): turn around and you will see the moulded facade, the old paving stones, the entrance to the stables which is on your right. The Marquis de Richelieu, purveyor of festivities for the Regency, gave here some of his own which are of great renown.

Against the light on the left bank rises the statue of Sainte Genevieve. The patron saint of Paris faces upstream, in remembrance of the times when Paris was invaded, and when her relics were carried in procession to frighten off the attackers.

The Tour d'Argent, a building on the Left Bank topped by a flag, is the oldest restaurant in Paris. Founded in 1582, it was here that the fork was used for the first time.

Let us continue our walk along the Quai d'Orléans, passing in front of number 12, a house where Arvers, a poet in the Romantic tradition, lived. Its curved balcony is marvelous. We shall go directly to the apse of Notre-Dame, located in the neighbouring island; from here, where we are not quite so close, the view is incomparable. At the very end of the Saint-Louis island, you will finnd the "Centaur's house" which they say "sits like a lantern on the water". When they dance here on the 14th of July, this spot has all the simple charm of the provinces. Let us return now towards the rue Saint-Louis-en-l'Ile, the first street in Paris to have been built in an absolutely straight line. At number 51, you can see an exceptional facade from the time of Louis the Fifteenth, the Hôtel de Chenizot; its chimera-adorned balcony is one of the best in this style.

Those who are gourmets would certainly be disappointed if I missed telling you that one of the best ice-cream shops in Paris, Berthillon's, is located here at the corner of the Rue des Deux-Ponts. But they had better have a great deal of patience! Shall we go on now to the Left Bank?

Jardins et secrets des quartiers Maubert et de la Tournelle

Départ : pont de la Tournelle, statue de Ste Geneviève.

Que de peintres se seront donnés ce rendez-vous, particulièrement au soleil couchant ! L'on y saisit la cathédrale dressée sur l'île, avec au loin, à droite, les maisons du cloître Notre-Dame.

Partons vers le n° 47, quai de la Tournelle, où se trouve le très joli petit hôtel, entre cour et jardin, qui abrite le musée de l'Assistance Publique (belle collection de pots à pharmacie). Comme ce quai est assez bruyant, nous conseillons au lecteur de parcourir la rue de Bièvre jusqu'à la place Maubert et la rue Maître-Albert en revenant vers le quai, jusqu'à la rue des Grands-Degrés. Etroites et sinueuses, puisque «construites à la place des anciens sentiers qui serpentaient dans la campagne», ce sont elles qui donnent leur cachet au quartier : maisons à pignon ou encorbellement léger, enseignes plaquées sur les façades (nos 10 et 12, rue de Bièvre). Ce quartier en voie de réhabilitation, renfermait, à la fin du siècle dernier, des bouges et des tavernes, où, à la fin de la nuit, les messieurs en habit (souvent de très grands noms) et les dames éblouissantes venaient s'encanailler avec les clochards du lieu... C'était «la tournée des grands ducs» : ceci explique sans doute que les clochards de «la Maub» sont plus snobs que les autres.

Prendre la rue de la Bûcherie et remarquer au n° 15 une curieuse coupole, celle de l'ancienne Faculté de médecine. A l'angle, le vieux nom de la rue est encore gravé dans la pierre : «rue des Rats». Après la rue Lagrange, pénétrer dans le square René Viviani d'où l'on a également une très belle vue sur Notre-Dame, sur son côté sud. Les pierres qui jonchent le jardin sont des morceaux authentiques de la cathédrale avant sa restauration. Le paradoxe et la découverte de notre promenade sera cette petite église de charme qu'est Saint-Julien-le-Pauvre, qui à l'intérieur, présente un style gothique naissant très attendrissant. Le rite y est grec-catholique, melkite, et l'iconostase, dont les esprits chagrins disent qu'il coupe la vue du chœur, est une sorte de petit jubé de bois. Sortir et prendre à gauche la rue Galande, où, au N° 42 une sculpture représente la légende de saint Julien l'Hospitalier ou le Pauvre qui donna son nom à l'église.

Passée la rue Saint-Jacques, on trouve rue Saint-Séverin, au n° 4, l'entrée du cul-de-sac de Salembrière, véritable coupe-gorge moyenâgeux, au n° 13, l'enseigne d'un cabaret «Le cygne de la croix». Mais il faudra entre-temps avoir vu l'intérieur de l'église Saint-Séverin dont le pilier en torsade du déambulatoire est fameux : au XIXe siècle, l'écrivain Huysmans le comparait à «un arbre pétrifié dans une serre d'essences mortes».

Rue Xavier-Privat, il convient de s'arrêter quelques instants : ne sommes-nous pas ici dans la rue la plus typique de ces bords de Seine et du vieux Paris tout entier ? Rien de spectaculaire, il est vrai, aucune pièce de musée, mais l'étroitesse de la rue, ses maisons boîteuses dont les façades vers l'arrière «laissent entrer le soleil», ses rez-de-chaussée de pierres avec leurs échoppes, c'est le Paris de François Villon, où les escoliers du quartier Latin venaient déjà s'esbaudir dans les tavernes.

La rue du Chat-qui-Pêche toute proche, dans la rue de la Bûcherie étroite et fétide, évoque à merveille ces bords de rivière, naguère sans quai, où tout le charroi se faisait par bateau. Paris n'a-t-il pas, depuis l'époque romaine, une nef à trois mâts dans ses armoiries ?

Pouvons-nous suggérer au lecteur, pour terminer sa promenade, de flâner le long de l'artère moderne du quartier Latin, le boulevard Saint-Michel épine dorsale du quartier estudiantin et d'aller jusqu'au jardin du Luxembourg ? Il y découvrira de belles perspectives, en particulier celle qui le relie à l'Observatoire, un palais voulu par Marie de Médicis en tout point semblable au palais Pitti de Florence, le monument au peintre Delacroix, la romantique fontaine Médicis, ou encore de merveilleux parterres de fleurs.

Gardens and Secrets of Maubert and La Tournelle.

Let us begin at the bridge La Tournelle, just at the statue of Ste Geneviève.

How many painters would have liked to have an appointment to be here, especially at sunset! In one glance you can see the cathedral on the island, with far off to the right the houses of the cloister of Notre-Dame.

Let us go towards number 47 of Quai de la Tournelle, a beautiful mansion located between courtyard and garden, which houses the museum of Parisian hospitals (they have a beautiful collection of pharmaceutical phials). Since this Left Bank drive is rather noisy, we recommend that you walk down the rue de Bièvre to reach the place Maubert and the rue Maître-Albert, to come back onto the quay, up to the rue des Grands-Degrés. These little streets, narrow and twisted since they follow "the old paths which wound through the country-side", give the neighbourhood its charm, with its gabled and cantilevered houses, street signs moulded into the walls (N° 10 and 12 of the rue de Bièvre). This neighbourhood, now under restoration, was the location of brothels and taverns at the end of the last century, where late in the night, gentlemen in evening dress (often of the very best names) and dazzling ladies came to rub shoulders with the beggars. It was the time of the "round of the dukes", when the duke paid for the drink, which no doubt explains why the tramps of "la Maub" were bigger snobs than the others.

Take the rue de la Bûcherie; you will notice a curious-looking dome at N° 15 — this is the dome of the former school of medicine. On the corner, you can see the old name of the street engraved in the stone: la rue des Rats-Rat Street". After rue Lagrange, you can enter Square René Viviani, where you also have a beautiful view of Notre-Dame's south side. The stones lying on the ground are authentic bits of the cathedral before it was restored. The paradox and the discovery you can make during this walk will be the charming little church Saint-Julien-le-Pauvre: its interior is in a touching early Gothic style. But the rite practised there is Greek Melkite and some say, with regret, that the iconostasis cuts off the view to the choir, a sort of small jube made of wood.

At the exit, take the rue Galande on your left, where you can see, at N° 42, a sculpture representing the legend of Saint Julian the Hospitable, or the Poor, who gave his name to the church.

Once past the rue Saint-Jacques, you will find the rue Saint-Séverin. At N° 4 is the entrance to an alley called the Salembrière, a den of thieves during the Middle Ages; at N° 13, there is a cabaret's sign, "The Swan and the Cross" (Le cygne et la croix). But, between times, you should see the church of Saint-Séverin from the

inside, with its famous ambulatory cable-moulded pillar, which the nineteenth century writer Huysmans compared to "a petrified tree in a greenhouse of extinct precious wood".

Stop for an instant in the rue Xavier-Privat: here is one of the most characteristic streets of the Seine riverbank area and indeed of old Paris. Nothing spectacular, it's true, nothing which would be found in a museum, but the narrowness of the street, its houses all askew, leaning back to let in the sun, its street-level shops made of stone, all tell us that here is François Villon's Paris, where already in medieval times the students of the Latin Quarter came here to make merry in the taverns.

The rue du Chat-qui-Pêche ("Street of the Fishing Cat") near the narrow, odorous rue de la Bûcherie, magically conjures up the riverbank in the days before the quays were built, when all transport was done by boat. Since Roman times, isn't it true that the arms of the City of Paris have been represented by a three-masted sloop?

To finish your walk, we suggest you wander along a modern street in the Latin Quarter, the Bld Saint-Michel, backbone of the student quarter, to reach the Luxembourg Gardens. There you will discover a number of beautiful views, in particular the view from the Observatory up to the palace which Marie de Medicis hoped looked in all respects like the Pitti Palace in Florence, or from the monument in honour of the painter Delacroix, the romantic Medicis fountain, or again over the marvelous flower-beds.

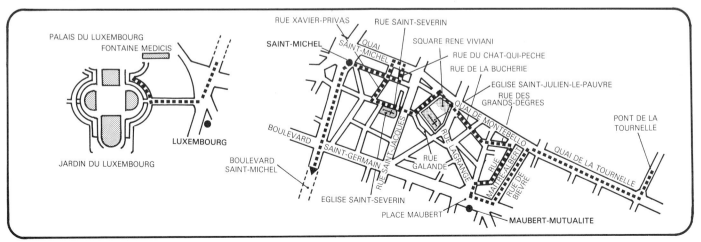

Le vieux quartier de Saint-Germain-des-Prés

Départ : au pied de la tour-porche de l'église Saint-Germain-des-Prés.

Si les historiens de Paris nous affirment que cette église est la plus vieille, cela peut nous laisser perplexes. L'an mil est loin et sa vénérable carcasse a été bien souvent restaurée. Notre parcours nous réservera d'exceptionnelles découvertes, cachées aux yeux des piétons les plus avertis, même s'ils n'ignorent pas que Saint-Germain-des-Prés c'est autre chose que la brasserie Lipp, les Deux Magots, ou encore l'après-guerre, avec les silhouettes familières de Boris Vian, Sartre et Simone de Beauvoir écrivant de longues heures sur les guéridons de marbre des cafés.

C'est avec vénération que nous pénétrons donc dans l'église, dont le XIXᵉ siècle hélas, a peinturluré le chœur et la nef. Pas tout à fait cependant : une partie du déambulatoire, récemment décapé, recelle deux chapelles aux arcatures romanes et l'une avec des vitraux du XIIᵉ siècle (le fameux «bleu» de Chartres). Sortons par la petite porte du bas-côté nord, qui donne rue de l'Abbaye. Au n° 14, passée la porte cochère, on ne manquera pas de voir une immense fenêtre du réfectoire de l'abbaye enchâssée dans la cage d'escalier de l'immeuble. En sortant, dans le square, un hommage au poète Apollinaire, par Picasso, une des rares statues parisiennes du peintre. Revenir sur ses pas, rue de l'Abbaye, où l'on voit à main droite le palais abbatial du XVIᵉ siècle en briques et pierres, époque où les abbés commandataires vivaient plus dans le siècle que selon la règle.

En face, la place Furstenberg, la plus exquise petite place du quartier, entourée des anciennes écuries du palais ; au n° 6 autre découverte, l'atelier du peintre Eugène Delacroix (à visiter absolument). Un appartement, un atelier situés dans un jardin, pour ce chef de file de l'époque romantique, qui venant des pentes de Montmartre, changea de rive à la fin de sa vie.

Au fond de la cour du n° 20 de la rue Jacob, un pavillon (on ne visite pas) où jusqu'à une période récente Nathalie Clifford Barney tint un salon littéraire. A voir encore deux jardins : au n° 22 et au n° 51, en arrière-cour tous les deux.

Le carrefour, rue de Seine-rue de Buci a beaucoup de cachet : maisons à pignon ou beaux hôtels Louis XV en pierre de taille et au loin, l'entrée à lanternon du palais du Luxembourg. Dans la rue, le pittoresque marché de plein air, et, à l'angle de la rue Grégoire-de-Tour et de la rue de Buci, une boutique de fleurs primée par la ville de Paris. Rue Grégoire-de-Tour, voir au n° 6 l'enseigne «Au Sauvage», puis revenir en direction de la rue Saint-André-des-Arts. Au n° 59, une succession de cours et de cours-jardins : la première tout en longueur, la cour du Commerce-Saint-André, la seconde à gauche, avec une partie du rempart de Paris du XIIᵉ siècle et la troisième, la cour des Archevêques de Rouen (transformé en Rohan) avec un immeuble en brique et pierre du XVIᵉ siècle et enfin la quatrième qui donne sur la rue du Jardinet, avec un puits à poulie de bois.

Comment imaginer qu'à 30 mètres à vol d'oiseau, il y a le boulevard Saint-Germain, gigantesque artère qui découpa ces vieux quartiers au siècle dernier ? En sortant de la première cour, celle du Commerce-Saint-André, on verra rue de l'Ancienne-Comédie, le plus vieux café de Paris, «Le Procope», ouvert ici en 1686, par un Sicilien Francesco Procopio, très vite enrichi en débitant à la foire Saint-Germain toute proche, «la boisson noire et amère», le café. Les belles élégantes ne voulant pas entrer dans l'estaminet, faisaient arrêter leur voiture quelques instants, le temps pour leur domestique de leur apporter une tasse. Le balcon, sur la façade est Louis XV. Du XVIIᵉ au XIXᵉ, c'était un café littéraire, et dans les salons anciens, lorsque vous y déjeunerez ou dînerez, ne manquez pas d'évoquer George Sand, Musset ou Votaire !

The old quarter of Saint-Germain-des-Prés.

Start from the porch under the tower of the Saint-Germain Church.

Specialists in the history of Paris tell us that this church is the city's oldest, and this fact may leave us slightly incredulous, for the year 1000 is long past and the true structure of the building has been restored many times. Our walk will reveal some truly exceptional discoveries, hidden to the eyes of even the most well-informed strollers, even to those who know that Saint-Germain-des-Prés is more than just the Brasserie Lipp, the Deux Magots, or the post-war period when Boris Vian, Sartre and Simone de Beauvoir were familiar figures at the marble-topped café tables where they spent long hours writing.

The church, although its choir and nave were gaudily painted during the nineteenth century, is still worthy of our veneration as we enter it. Hewever, it is not gaudy everywhere: part of the ambulatory, recently cleaned, contains two chapels with Roman arcatures and one with stained-glass windows dating from the twelfth century (the famous "Chartres blue"). Let us leave the church by the smaller side nave on the north side, which lets us out in the rue de l'Abbaye. At number 14, you'll make a surprising discovery: an immense refectory window is mounted inside the building. As you leave, you can see a statue sculpted by Picasso in honour of the poet Apollinaire, one of the rare statues of this painter in Paris. Turn back to the rue de l'Abbaye, where the abbatial palace stands on the right. This brick and stone structure was built during the sixteenth century, when the clergymen who had it built lived more in the profane world than is the general rule.

Across from it is the most exquisite little square of the neighbourhood, surrounded by the former stables of the palace. Yet another discovery is to be made at number 6 — the studio of Eugène Delacroix, the painter (which is absolutely worth the visit). You may see the apartment and the studio, set in a garden, of this painter who was a leader of the Romantic period. Originally from the slopes of Montmartre, he changed from the Right Bank to the Left at the end of his life.

Another noteworthy spot is the house located in the courtyard at N° 20 rue Jacob (not open to visitors), where Nathalie Clifford Barney was hostess to a literary circle up until recent times. You may also see two gardens, both in rear courtyards, at N° 22 and 51.

The crossing at the rue de Seine and the rue de Buci is an area full of style: gabled houses, beautifully hewn stone mansions dating from Louis the Fifteenth's time, and, off in the distance, the entrance to the Luxembourg Palace with its lantern light. On the rue Grégoire-de-Tours, at N° 6, you will see the tavern sign "At the Sign of the Savage" ("Au Sauvage"); then return toward the rue Saint-André-des-Arts, where at N° 59 there is a succession of courtyards and squares. The first is the very long Saint-André Marketplace ("Cour de Commerce Saint-André"), the second, on the left and containing part of the city's twelfth-century fortifications, is the Courtyard of the Archbishops of Rouen ("Cour des Archevêques de Rouen" — 'Rouen' has been transformed into 'Rohan'). This courtyard also encloses a brick and stone building dating from the sixteenth century. The fourth courtyard, which comes out on the rue du Jardinet, has a well with a wooden pulley.

Just imagine that 30 metres away as the crow flies lies the immense boulevard Saint-Germain, cutting this area in two in the last century. As you leave the first courtyard, the Saint-André Marketplace, you can see one of the oldest cafés in Paris, on the rue de l'Ancienne-Comédie. It is called "Le Procope", and was opened in 1686 by a Sicilian named Francesco Procopio, who rapidly earned a fortune by serving "that black and bitter drink", coffee, to customers at the nearby Saint-Germain Market. Elegant ladies who did not wish to enter a public house would stop their carriages for a few moments so that their servants could bring them a cup. The balcony facing the street is in the style of Louis XV. During the seventeenth and eighteenth centuries, "Le Procope" was visited or frequented by writers and should you lunch or dine in its historic dining rooms, do imagine that George Sand, Musset and Voltaire also dined here!

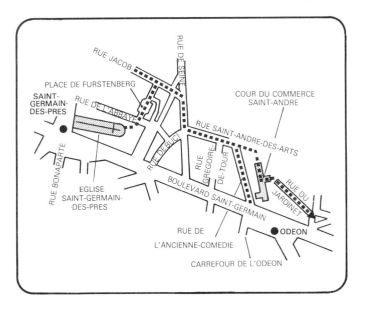

Montparnasse, quartier des artistes

Départ : 65, boulevard Arago.

C'est une vision romantique de ce quartier que nous allons vous donner, en évitant les abords de la gare et de la tour, cité de l'an 2000, qui remplace sans faillir ce qui était un quartier excentrique, soit, mais avec une vie de village.

Pour commencer, la Cité fleurie, certainement la plus charmante cité d'artistes de Paris, pour laquelle d'ailleurs nous avons reculé quelque peu les limites de Montparnasse, l'administratif et le sentimental ne s'entendent guère. Ses 29 pavillons ont une histoire tumultueuse : rescapés des démolitions de l'exposition universelle de 1878 et remontés ici — en pleine campagne — menacés par les promoteurs, puis épargnés grâce aux pétitions des amoureux de Paris. Les chats, nombreux, y paressent l'été sous la végétation luxuriante et les massifs de rosiers. Nul doute qu'ils soient la réincarnation de Rodin qui venait souvent ici, de Bourdelle le sculpteur, du chanteur Chaliapine, ou de la belle Karsavina, danseuse chez Diaghilev.

Prenez le boulevard à gauche en direction de la rue du Faubourg-Saint-Jacques (quelle belle quadruple rangée de marronniers !). Au n° 38 jetez un coup d'œil discret sans trop empiéter sur le jardin : voilà l'élégant hôtel de Massa de 1778. A la belle saison, son jardin est superbe et son histoire étonnante : construit sur les Champs-Elysées à la fin de l'Ancien Régime, il fut démonté pierre par pierre et remonté ici en 1928, sur une partie des jardins de l'Observatoire.

Continuez à descendre la rue du Faubourg-Saint-Jacques : au 28 passez les grilles toujours ouvertes. Vous êtes dans l'enclos de la maternité Beaudelocque qui renferme le couvent de Port-Royal de Paris du XVIIe siècle : un peu à votre droite devant le bâtiment, un jardin de rocaille, un perron, une porte... derrière cette porte... le plus beau cloître de Paris, construit en 1627 par Angélique Arnaud. Ce monastère s'attira les foudres du pouvoir en devenant un centre janséniste. La salle capitulaire, le chœur des religieuses et l'église ne se visitent pas.

Ressortir par la même voie, contourner le bâtiment : l'on se retrouve boulevard de Port-Royal. Traverser le carrefour : la Closerie des Lilas est un bar restaurant de charme avec sa terrasse découverte l'été. Si les lilas ont disparu il y flotte un air du temps jadis. Prendre le boulevard du Montparnasse jusqu'au croisement avec le boulevard Raspail (on passe la rue de la Grande-Chaumière avec ses ateliers d'artistes). Au carrefour la statue de Balzac par Rodin « le rocher anthropomorphe. »

Si la deuxième partie de notre itinéraire risque d'être moins romantique, c'est pourtant ici qu'il faut évoquer la courte vie du quartier au temps des Années Folles, de l'après-guerre au crack de Wall Street en 1929. Les premiers bars ouverts toute la nuit, comme « La Coupole », bâtie sur un ancien « bois et charbon » de 1923, « Le Select », bar anglais, « La Rotonde ». Hemingway le géant, Soutine le timide, Modigliani, beau prince italien farouche, Kiki de Montparnasse, le plus célèbre modèle de Kisling et Pascin à la fin dramatique comme celle de « Modi ».

Rue Huygens, existe encore au n° 6 l'ensemble d'ateliers dont certains recevaient le groupe des Six (Milhaud, Poulenc, Honegger...) et les premières manifestations Dada. Continuer la rue Huygens jusqu'au boulevard Edgar Quinet : deux possibilités s'offrent à nous, soit pénétrer dans le cimetière (tombes de Baudelaire, César Franck, Guy de Maupassant, Charles Garnier, architecte de l'Opéra... et beaucoup d'autres !). Deuxième proposition, flâner tout en lorgnant la gigantesque tour Montparnasse seulement du coin de l'œil, et terminer son périple sur la charmante petite place formée par les rues Jolivet, du Maine et Poinsot, tout près de la rue de la Gaîté : on y a un point de vue amusant, avec au premier plan le vieux « village » et en toile de fond... le nouveau !

Montparnasse, the artists' quarter

Start at number 65 Boulevard Arago

We hope to give you a romantic image of this neighbourhood, keeping away from the area around the Montparnasse tower and railway station with its atmosphere of the year 2000, and which has replaced a neighbourhood that was certainly eccentric, but also evoked the life of a small town.

To start, we have chosen the Cité fleurie *— the Flowered Village — certainly the most charming artists' colony in Paris, and for which we have "stretched" a bit the boundaries of Montparnasse itself to take in — since administrative considerations rarely coincide with one's sentiments in any case. The twenty-nine houses loca-*

ted here have an eventful past: they escaped demolition during the Universal Exposition of 1878, and were moved here — at the time this area was in the middle of the countryside — then threatened again with destruction by promoters, and at last were spared thanks to those who love Paris. Numerous cats spend their summers here beneath the luxuriant vegetation and the enormous rosebushes. Perhaps these roses are the reincarnation of Rodin, who came here often, of the sculptor Bourdelle, the singer Chaliapine, or the beautiful Karsavina, a dancer in Diaghliev's troupe. Take the boulevard to your left, going toward the rue du Faubourg-Saint-Jacques (under a magnificent row of chestnut trees). At number 38, you will find the elegant Hôtel de Massa, built in 1778. It is certainly worth a discreet glance, but do avoid trampling the gardens, superb at the height of the season. Equally extraordinary is its history: built on the Champs-Elysées at the end of the reign of the Monarchy, it was dismantled stone by stone and reconstructed here in 1928, in part of the gardens which belong to the Observatory.

Continue on down the rue du Faubourg-Saint-Jacques: at number 28, go through the gates which are always open. Here you find yourself inside the Beaudelocque Obstetrics Hospital, which includes among its buildings the seventeenth-century convent belonging to the Port-Royal congregation of Paris. Just to your right in front of the building, you will see a rock garden, a staircase, a door... and just beyond this door, the most beautiful cloister in Paris, built in 1627 by Angélique Arnaud. When the monastery became a centre of Jansenism, it drew upon itself the anger of the governing power. The assembly room, the nuns' choir and the church are not open to visitors. Leave by the same way, going around the building, and you will find yourself on the boulevard de Port-Royal. Cross the boulevard at the corner, just in front of the Closerie des Lilas, a charming bar and restaurant with an open terrace in the summertime. Even if the lilacs are no longer there, there is still an air of old times about it. Take the boulevard du Montparnasse up to the corner of the boulevard Raspail (you will cross the rue de la Grande-Chaumière with its artists' studios). Although the second part of the walk may be less romantic, this neighbourhood lived a short but wild life during the Roaring Twenties, from the post-war days up to the Wall Street Crash and the Great Depression of 1929. The first all-night bars opened here, like "La Coupole" built in a coal-seller's shop in 1923, the "Select" and English bar, the "Rotonde", and others. The giant Hemingway, the timid Soutine, the handsome but shy Italian prince Modigliani, Kisling's most famous model, Kiki of Montparnasse, and Pascin, who met a tragic end, as did "Modi"... all were familiar figures here.

At number 6 rue Huyghens, a group of artists' studios, which housed in those days the Group of Six and the first followers of the Dada movement, still stands today. Continue to follow the rue Huyghens until you reach the boulevard Edgar Quinet, where you can take one of two ways: either through the cemetery (where you will find the graves of Baudelaire, César Franck, Guy de Maupassant, Charles Garnier, architect who designed the Paris Opera, and many others), or you may wander down towards the little square where the rue Jolivet, the rue du Maine and the rue Poinsot cross. On your way, you have a view of the Montparnasse tower, but give it just a glance, not more. Here at this little square, you have a unique viewpoint on the old "village" with, rising behind it, the new!

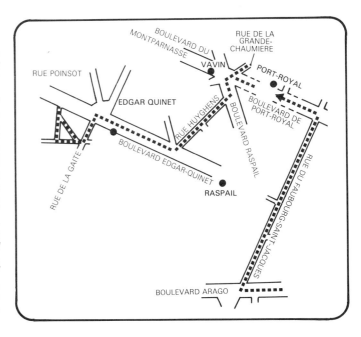

109

Jardins et secrets du vieux Montmartre

Départ : devant l'église Saint-Pierre.

C'est par cette charmante petite église que nous commencerons notre itinéraire, en ignorant presque le gros éléphant blanc qu'est le Sacré-Cœur, sans lequel d'ailleurs le panorama parisien ne serait pas ce qu'il est. Comme il n'a été construit qu'en 1875, honneur à l'aïeule qui est du XIIe et en partie romane. Village rattaché à Paris en 1860, Montmartre, ce n'est pas seulement la fameuse place du Tertre et ses environs, c'est toute la colline, du nord au sud, Saint-Pierre est le souvenir d'un monastère de dames, dont les bâtiments surplombaient des centaines d'hectares de vignes. Si l'intérieur de l'église a un air penché, c'est que pendant cinq siècles l'on a extrait du plâtre des carrières ouvertes sous la colline, que toutes les maisons de la butte flirtent avec le fil à plomb. Voir aussi les deux petites chapelles de l'abside (elles sont romanes et voûtées en cul de four), ainsi que la pierre tombale de la fondatrice (martelée à la Révolution) dans le bas côté à gauche.

Sortir et prendre à droite la rue Saint-Rustique. Peu de monde, si près de la grouillante place du Tertre. On a ici une idée de ce qu'était un « village de l'ancien Paris » : rue étroite, caniveau axial et tout au bout, rue des Saules, une mansarde à poulie. Au carrefour rue de l'Abreuvoir rue des Saules, la « petite maison rose » où le chansonnier Bruant (immortalisé par l'affiche de Toulouse-Lautrec) vivait avec « la belle Gabrielle » près des dernières treilles de la vigne. Car elle est encore là cette vigne chantée par Rabelais :

> « Vin de Montmartre,
> qui en boit une pinte
> en pisse quatre... »

A l'automne, ont lieu de symboliques vendanges tout comme le vin que le climat de Paris n'a guère amélioré en quatre siècles. A l'angle de la rue des Saules et de la rue Saint-Vincent, le cabaret du Lapin Agile tient son nom de l'enseigne peinte par André Gill. Guinguette mal famée au XIXe, « Le cabaret des assassins », elle prit un tour montmartrois et littéraire vers 1900. Remonter la rue des Saules, prendre la rue Cortot à gauche et remarquer les vieux murs de soutènement.

Au n° 12, une petite merveille, le musée du Vieux Montmartre, installé entre deux jardins, le premier étant celui où Renoir peignit « La balançoire ». C'est sans conteste l'un des plus jolis musées de Paris, cette maison de campagne du XVIIe dont le premier propriétaire s'appelait Roze. Revenir rue de l'Abreuvoir, descendre la rue longée de vieilles bornes de pierre, de murs couverts de végétation cachant quelques jardins secrets. Rue Girardon, une bâtisse, genre directoire, dans son jardin : c'est le « château des Brouillards » chanté par Roland Dorgelès, un fidèle de la butte. Rue Lepic (où habita Van Gogh au n° 50), deux moulins : le Blute-fin et le Radet. Moudre le blé venant de plusieurs kilomètres à la ronde, presser les vendanges : ce sont les derniers témoins mais non les moindres de l'activité villageoise. Le Blute-fin ou Moulin de la Galette apparaît 100 mètres plus bas dans la rue Lepic. Le bal célèbre fut aussi immortalisé par Renoir. Hélas, plus question de danser sous les ombrages du jardin !

En revenant vers le sommet place Jean-Baptiste-Clément, il n'est pas interdit, par contre, de chanter « le Temps des cerises », puisqu'il en est l'auteur. Descendre par la rue Ravignan sur la délicieuse petite place Emile-Goudeau, avec sa fontaine Wallace (tout à fait un tableau naïf), où l'on verra l'entrée du Bateau Lavoir, aujourd'hui reconstruit. C'est dans ces ateliers que vécurent Picasso, Braque, Max Jacob, Apollinaire etc... Terminer par la pittoresque rue des Abbesses avec son marché. Vous aurez sûrement trouvé tout seul la célèbre place du Tertre. Cette place fut le lieu de toutes les fêtes du village, mais aussi des moments tristes : l'on dit que Jean-Baptiste-Clément rajouta à sa chanson un couplet, en 1871, en souvenir d'une héroïque jeune fille qui se fit tuer sur les barricades « sur sa blouse, deux gouttes de sang, comme deux cerises rouges. »

Gardens and secrets of old Montmartre.

Start in front of the Saint-Pierre Church.

We will begin our walk at this charming little church, and not pay much attention to that huge white elephant, Sacré-Cœur, even though the Paris skyline would not be what it is without it. The Sacré-Cœur was built only in 1875, so we pay much more respect to its twelfth-century ancestor, Saint-Pierre, which is built partially in the Roman style. Montmartre was a village which was incorporated into the City of Paris in 1860, and is much more than the famous place du Tertre and its neighbourhood, it is also the whole hill, from the north to the south. The church of Saint-Pierre is what remains of a convent, whose buildings crowned several hundred hectares of vineyards. If the interior of the church appears a bit crooked, it's because of the fact that over the past five hundred years, plaster has been taken out of the quarries located under the hill, and actually none of the houses on the heights are very level. You should also see the two small chapels located in the apse (Roman style, in half-dome) as well as the tombstone of the founder of the congregation (wrought during the Revolution) in the small nave on the left. Upon leaving, take the rue Saint-Rustique on your right. This street is almost deserted, and yet so close to the crowded place du Tertre. You can see what a "village of old Paris" was like: a narrow street with a central gutter, and, at its end, at the rue des Saules, a garret with a pulley. At the crossing of the rue de l'Abreuvoir and the rue des Saules is the "little pink house" where the songwriter Bruant (immortalised by Toulouse-Lautrec) lived with "the beautiful Gabrielle", near the last trellises of the vineyards. Because they are still here, the vineyards giving the wine of which Rabelais wrote :

"Wine of Montmartre,
He who drinks but a pint,
pisses four..."

The wine-harvest, which takes place in autumn, is only symbolic, since the wine of Paris has not gotten any better over four centuries. On the corner of the rue des Saules and the rue Saint-Vincent, you will find the Cabaret du Lapin Agile ("Tavern of the Agile Rabbit"), whose name comes from the tavern sign painted by André Gill. This ill-famed nineteenth-century dive was known as the "assassins' tavern", but became a landmark of Montmartre and literary circles around 1900. As you walk up the rue des Saules, take the rue Cortot on the left and you will notice the old retaining walls.

The Museum of Old Martmartre is located at N° 12, a marvellous little building situated between two gardens. In the first one, Renoir painted "The Swing" ("La Balançoire"). This museum, a seventeenth-century country house whose first owner was named Roze, is without a doubt one of Paris' loveliest. Return to the rue de l'Abreuvoir, and walk down this street with its old roadstones and walls covered with vegetation which hide secret gardens. On the rue Girardon there is a Directoire style house with its garden: this is the "Château des Brouillards" (Fog Castle), celebrated in song by Roland Dorgelès, a faithful resident of Montmartre. Two windmills are found on rue Lepic (where Van Gogh lived, at N° 50): the Blute-fin and the Radet. These windmills are the last, if not the least vestiges of village activity in the old days: grinding wheat and pressing grapes from farms several miles around. The Blute-fin or the Biscuit Windmill (Moulin de la Galette) is located 100 metres lower on the rue Lepic. The famous ball of Montparnasse was also immortalised by Renoir. Unfortunately, the days when one could dance in the shade of the garden are long past. However, as you return to the top of the hill, no one will stop you if you wish to sing "Le Temps des Cerises" when you reach the Place Jean-Baptiste-Clément, since he is the author of this famous song. Go down by the rue Ravignan to

the charming little place Emile-Goudeau, with its Wallace fountain (the very image of a naive painting) where you will see the entrance to the Bateau Lavoir (the "boat wash-house", in former times, they were on the Seine), which has been restored. Picasso, Braque, Max Jacob, Apollinaire and others lived in these studios. End your walk with the picturesque rue des Abbesses and its market. You will have certainly found on your own the famous place du Tertre. This was where all the village festivities took place, but it also saw some sad times: they say that Jean-Baptiste Clément added a couplet to his famous song in 1871, in remembrance of a heroic young girl who was killed on the barricades, which went "on her blouse, two drops of blood, like two cherries red...".

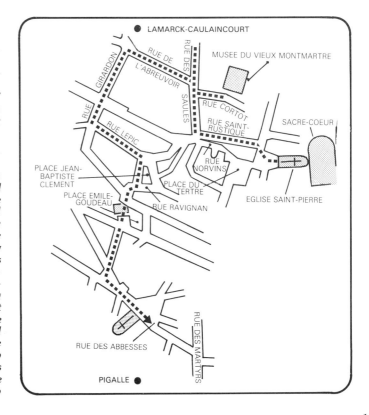

Sur les pentes de Montmartre, un quartier du XIXe : La « Nouvelle Athènes »

Départ : place Saint-Georges

Où rencontrer dans une ville, un périmètre restreint et autant de noms célèbres, peintres, écrivains, danseurs, tragédiens ? Peut-être à Londres, à Chelsea, à la fin du siècle dernier. Le quartier de la « Nouvelle Athènes » a été quasiment construit en l'espace de 30 ans, à la place des anciennes courtilles, de 1820 à 1850 environ. C'est l'époque où phalanstères et sociétés philanthropiques abondent. Les artistes, persuadés que de vivre côte à côte ne peut que leur être bénéfique, envahissent ce nouveau quartier. Gavarni, excellent dessinateur que l'on voit au centre de la place Saint-Georges sur sa colonne, surplombe les types parisiens de l'époque, le « rapin » artiste peintre ou sculpteur, la « lorette » ouvrière de la mode, les masques du carnaval dont Pierrot, comme si la « Butte » avait toujours eu cette réputation de légèreté et d'insouciance. Sur la place, au n° 28, habité jadis par une courtisane, Madame de Païva, curieuse façade néo-Renaissance.

Promenez-vous dans le petit square derrière le musée Thiers : c'est le seul vestige de l'immense parc qui entourait cette « folie » du XVIIe que Thiers habita 50 ans. Prendre la rue Saint-Georges où habitaient le tragédien Talma et Murger, auteur de «La Vie de Bohème», puis la rue d'Aumale, enfin la rue Taitbout : au n° 80, dans la deuxième cour, la romantique cité d'Orléans, où vécurent de 1842 à 1847 Chopin et George Sand, mais dans des appartements différents. Au n° 5, la romancière recevait ses bruyants amis et Chopin, au n° 9, le cénacle des Polonais de Paris, mais aussi Delacroix son grand ami. Celui-ci note dans son journal en mars 1847 : « Après mon dîner chez Madame Sand. Il fait une neige affreuse, et c'est en pataugeant que j'ai gagné la rue Saint-Lazare. Le bon petit Chopin nous a fait un peu de musique… »

Nous ferons comme Delacroix, nous sortirons et prendrons la même rue : au n° 40 vécut le bon Dumas père qui y donna en 1833 un célèbre bal noir, au n° 44, l'actrice romantique par excellence, Marie Dorval, très liée avec George Sand et Vigny. Prendre la rue de La Rochefoucauld (nom d'une des abbesses de Montmartre). Au n° 7, à l'angle de la rue de la Tour-des-Dames, petit hôtel particulier ayant appartenu à la célèbre tragédienne Mlle Mars. Au n° 14, à voir absolument, l'atelier aux merveilles du peintre symboliste Gustave Moreau, dont la « Salomé dansant devant Hérode » parcourt le monde entier, porteuse de ses splendides atours et maléfiques projets. Le grand atelier rose et son vertigineux escalier, les peintures chargées d'Orient, de mysticisme, d'ésotérisme illustrent à la fois les

vers de Baudelaire, de Mallarmé et de Nerval. Pratiquant une peinture à l'opposé de celle de Gustave Moreau, Jean-François Millet, peintre du quotidien… et de « l'Angélus », vivait au n° 17.

Redescendre pour prendre la rue de la Tour-des-Dames, en souvenir d'un moulin ayant appartenu aux Dames de Montmartre. Au n° 2 petit hôtel construit vers 1820, au n° 3 hôtel du XVIIe habité par une tragédienne, rivale de Mlle George, Mlle Raffin, avec une très charmante façade incurvée (il y a aussi des salons à boiseries, que l'on ne visite pas). Quant au plus célèbre tragédien de l'Empire, Talma, il vécut et mourut au n° 9. Devant cette façade défigurée, l'on a peine à imaginer le va-et-vient des équipages, le luxe et l'originalité de ce personnage. Très talentueux, très viveur, il eut de nombreuses liaisons et même une épouse qui lui donna des jumeaux, baptisés à Notre-Dame-de-Lorette : Castor et Pollux ! Ce n'était plus la « Nouvelle Athènes » mais la nouvelle Rome.

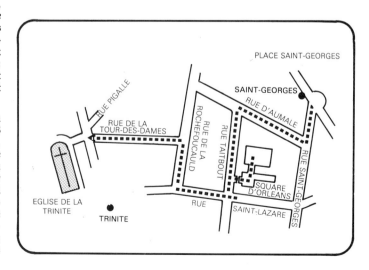

On the slopes of Montmartre, a nineteenth-century neighbourhood "New Athens"

Start at the place Saint-Georges.

Where else in a city can one find such a small area associated with so many famous names of painters, writers, dancers, actors? Perhaps in Chelsea, in London at the end of the last century. The "New Athens" quarter was built in just thirty years, on ground which was formerly a public garden, from 1820 to about 1850. It was a time when phalansterians and philanthropic societies abounded. Artists, believing that living side by side could only do them good, invaded this new neighbourhood. Gavarni, the excellent cartoonist, is immortalised atop a column in the centre of the place Saint-Georges, which looked out over the type of character this neighbourhood knew at the time: the "daubers", sculptors or painters; the "Lorettes" — seamstresses of easy virtue — carnaval masqueraders like Pierrot, all lived here as if the slopes of Montmartre had always been known as frivolous and carefree. On the place Saint-Georges, number 28, with its curious neo-Renaissance facade, was once the home of a courtesan, Madame de Paiva. Do take a stroll in the little square just behind the Thiers Museum: this is all that is left of the enormous park which surrounded this seventeenth-century "folly", where Thiers lived for fifty years. Take the Rue Saint-Georges where the famous actress Talma Murger, author of the "life of a Bohemian" lived, then the Rue d'Aumale, and at last the Rue Taitbout: at number 80, in the second courtyard, the romantic Orleans residence was the home of George Sand and Chopin, who had different apartments there from 1842 to 1847. The novelist lived at number 5, where she entertained her boisterous friends, and Chopin, at number 9, the Polish circle of Paris, but also his great friend, Delacroix. In March 1847 Delacroix wrote in his diary: "After dinner at Madame Sand's — It is snowing terribly, and I had to wade out to reach the Rue Saint-Lazare. Good old Chopin played a bit of music for us...". We shall do as Delacroix did, leaving by the same street.

At number 40, you can see the house where Dumas the Elder gave a famous "black ball" in 1833, and at number 40, the home of Marie Dorval, one of the most famous romantic actresses, who was a good friend of George Sand and Vigny. Take the Rue de la Rochefoucauld (named after one of the Abbesses of Montmartre). At number 7, just at the corner of the Rue de la Tour-des-Dames, there is a small private mansion which once belonged to the famous actress Mademoiselle Mars. Another spot not to be missed is number 14, the "studio of wonders" where the symbolist painter Gustave Moreau worked, whose "Salome dancing before Herod" has been displayed throughout the world, clad in her finery and weaving her evil plans. This huge pink studio and its dizzying staircase, the paintings imbued with orientalism, mysticism, esoterism, are also an illustration of the poetry of Baudelaire, Mallarmé and Nerval. In an artistic tradition totally opposed to that of Gustave Moreau was the painter Jean-François Millet, who painted every-day scenes, of which we might mention his famous "Angelus". He lived at number 17.

Go down to take the rue de la Tour-des-Dames, named for a windmill which belonged to the Sisters of Montmartre. At number 2, there is a small mansion built around 1820, and at number 3, a seventeenth-century mansion where one of the rivals of the actress Mademoiselle George, Mademoiselle Raffin, once lived. It has a charming, incurvated facade (and panelled rooms, which are not open to visitors). The most famous actor of the Empire period, Talma, lived and died at number 9. Standing in front of this disfigured building, it is difficult to imagine the bustle of the horses and carriages, the love of luxury and the eccentricity of this character. Very talented, very lively, he had numerous affairs and even a wife who bore him twins, baptised "Castor and Pollux" at Notre-Dame-de-Lorette: it wasn't "New Athens", but rather "New Rome"!

Les pentes de la montagne Sainte-Geneviève ou le quartier de la « Mouff »

Départ : devant l'église Saint-Etienne-du-Mont, derrière le Panthéon

Paris s'enorgueillit de ses collines, moins nombreuses pourtant qu'à Rome. Si celles de Belleville et de Montmartre, rive droite, revendiquent chacune le point culminant de Paris (env. 128 m), ici, point question : la montagne Sainte-Geneviève qui épaule le quartier latin est modeste ! Elle porte le nom de la sainte patronne de Paris qu'on y enterra au VIe siècle, dans l'abbaye du même nom. Si Montmartre fut rattaché à Paris seulement en 1860, cette montagne-ci était citadine dès l'époque romaine (arènes de Lutèce au n° 49 de la rue Monge, les Thermes de Cluny, rue du Sommerard, etc…)

L'église Saint-Etienne-du-Mont est exceptionnelle à divers titres ; c'est pourquoi nous la préférerons au gigantesque Panthéon, nécropole des grands hommes. C'est d'abord la seule église à jubé de Paris, clôture élégante entre le chœur et la nef (vers 1580). Elle contient ce qui reste du sarcophage de notre sainte patronne (déambulatoire droit du chœur), mais aussi à son chevet de superbes vitraux de la Renaissance, à hauteur d'homme, très exceptionnels.

Sortir rue Clovis : l'on y voit une tour, seul vestige de l'église de l'abbaye, incluse dans le lycée Henri IV. Nous ne sommes pas au bout de nos découvertes : au n° 3, en coupe, un vestige du rempart de Paris du XIIe siècle. Les Sherlock Holmes que nous sommes en verrons un autre morceau inclus au fond du couloir d'une maison au n° 47 de la rue Descartes (au n° 39, mourut le poète Verlaine). La place de la Contrescarpe a un charme provincial : au n° 6 de la rue Mouffetard une enseigne de boucher du XVIIe siècle, maisons basses et bancales, au n° 14 enseigne « Au nègre joyeux. »

Mouffetard, d'ailleurs ce n'est guère une appellation romanesque. Cela vient de moffettes, exhalaisons putrides du temps où, en bas de la rue coulait la Bièvre, petite rivière parisienne, très nauséabonde à cause des abattoirs et des tanneries installés en amont.

C'est d'ailleurs ce quartier des Gobelins, véritable « zone » surnommée le « bourg souffrant », que Victor Hugo choisira pour y camper ses « Misérables ». N'entendez-vous pas Gavroche, assis sur le parapet du pont aux Tripes, chanter :

Quand dans son eau, on trempe sa peau,
On en sort noir, com' le drapeau
des r'vendications ouvrières !

Vous ne risquez plus les exhalaisons putrides : depuis le début du siècle, la Bièvre n'est plus à ciel ouvert et le pont aux Tripes a disparu.

Descendre la rue Mouffetard ; cette artère serpentine, surnommée plus tard « la rue Biberon », est l'épine dorsale d'un quartier autrefois modeste, construit dès l'enceinte de Philippe-Auguste. Les pèlerins, qui descendaient vers Compostelle, et qui, au passage de Paris ne voulaient pas emprunter la pieuse rue Saint-Jacques, « s'égaraient » dans ses nombreuses tavernes. Regardez de tous vos yeux ! Flairez, car rien ici n'est très exceptionnel, mais de ci, de là, une mansarde, quelques balcons, une cour-jardin… A l'angle de la rue du Pot-de-Fer, une maison du Moyen-Age et une fontaine. Au n° 69, enseigne « Au vieux chêne », ancien bal de la Révolution, où les voyous de 14 ans et leurs amies venaient s'encanailler sous les ombrages. Au n° 122, enseigne « A la bonne source ».

Dans cette portion de la rue, comment ne pas être tenté de faire son marché ? les échoppes y rivalisent d'attraits, surtout dans la pittoresque rue de l'Arbalète. Pour terminer, une petite incursion à Saint-Médard. Entrez dans l'église par une petite porte (41, rue Daubenton) pour admirer derrière la chaire le très beau tryptique du XVIe siècle.

The slopes of mount Sainte-Geneviève, or the "Mouff" neighbourhood.

Let's meet in front of the church Saint-Etienne-du-Mont, just behind the Panthéon.

Paris is proud of its hills, even if they are fewer in number than Rome's. On the Right Bank, some claim that the highest point in Paris (about 128 metres) is at Belleville, others at Montmartre. But here, height is out of the question: the "mountain" rising above the Latin Quartier is very small. It bears the name of the patron saint of Paris who was buried here in the sixth century, in the Abbey which has the same name. If Montmartre was made part of Paris as late as 1860, this area was a city as early as Roman times (you can see the Roman Lutétia arena at N° 49 rue Monge, as well as the Cluny Baths on rue de Sommerard, etc.).

The church Saint-Etienne-du-Mont is remarkable for a number of reasons, and this is why we prefer to mention it here rather than the gigantic Panthéon, the tomb of great men. To begin with, it was the only church in Paris to have a jube, an elegant screen between the choir and the nave (around 1580). It also contains the remains of the sarcophagus of the patron saint of Paris (in the ambulatory to the right of the choir) but also, at its head, superb stained-glass windows dating from the Renaissance, which are set about as high as a man and which are quite exceptional.

As you leave the church, take the rue Clovis: there you see a tower, the only remains of the abbatial church, which is now enclosed in the Lycée Henri IV. We have not finished making discoveries: at N° 3, there is a vestige of the city's twelfth-century fortification, in cut-away. The Sherlock Holmes among us will find another bit at the back of a hallway of a house located at N° 47 rue Descartes (at N° 39 of this same street is the house where the poet Verlaine died). The Place de la Contrescarpe has a provincial charm; at N° 6 of the rue Mouffetard there is a butcher's sign dating from the seventeenth century, at N° 14, another noteworthy sign "At the Sign of the Happy Negro" ("Au Nègre Joyeux"); the street is lined with low, crooked houses.

The name "Mouffetard" is in fact none other than an old Roman name. The word comes from "moffettes", meaning fetid air, which came from the slaughterhouses and tanneries which were located on one of the smaller rivers in Paris, the Bièvre, which flowed at the bottom of this street. This is also the neighbourhood known as the "Gobelins", in those days a true slum which was nicknamed "Sick City" ("Le borg souffrand") and which was chosen by Victor Hugo as a background for his famous novel, Les Misérables. You can almost hear Gavroche, seated on the parapet of the Pont aux Tripes, as he sings:

If you bathe in its waters,
You come out all black,
As black as the flag of worker's demand!

There is no longer any danger of fetid air in the rue Mouffetard: since the beginning of the century, the Bièvre is no longer an open river, and the Pont aux Tripes has disappeared.

Walk down the rue Mouffetard, this narrow street, later nicknamed "Baby Bottle Street" (La rue Biberon) which is the backbone of this formerly poorer neighbourhood, built at the same time as the city's fortifications under Philip-Augustus. Pilgrims going to Compostella who did not wish to travel down the pious rue Saint-Jacques "went astray" in Mouffetard's numerous taverns. Open your eyes properly! Use your flair to make discoveries, for although nothing

here is very outstanding, here and there you will see a garret, some balconies, a garden courtyard... at the corner of the rue du Pot-de-Fer, be sure to see the medieval house and fountain. N° 69, at the "Sign of the Old Oak" ("Au Vieux Chêne") was the location of a dance hall during the French Revolution, where 14-year-old ruffians and their lasses had good times in bad compagny in the shade of its garden. Also worth your attention is the tavern sign at N° 22 "A la Bonne Source".

In this part of the street, how is one to resist from doing some shopping? One shop is more alluring than the next, especially in the picturesque rue de l'Arbalète. To end, let us make a short visit to the church of Saint-Médard. Enter by the small door (41 rue Daubenton) to admire the beautiful sixteenth-century tryptich behind the pulpit.

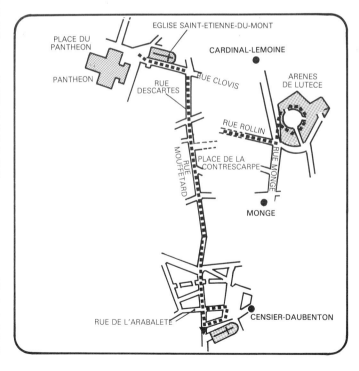

De Passy à Auteuil ou la géographie sentimentale du XVIe arrondissement.

Départ : 47, rue Raynouard

L'auteur de la « Comédie humaine » Honoré de Balzac, vécut à Passy, comme Molière vécut à Auteuil, l'ouest (et le soleil) ayant attiré de tous temps les constructeurs de « folies » ou de maisons de campagne. Dans le jardin de la petite maison-musée de Balzac, il est bon de s'asseoir au printemps parmi les lilas, d'ignorer le modernisme environnant et d'évoquer l'auteur à succès, coqueluche des femmes du monde. En 1840, plusieurs maisons bordaient la rue et celle-ci était invisible. Balzac l'avait choisie pour déjouer les ruses de ses créanciers. A l'intérieur, des souvenirs tels que ses fameuses cannes, la cafetière qui porte son chiffre. Une issue lui permettait en contrebas de filer dans les dédales de la colline de Chaillot :

> Dans cette maison on entre par en haut
> Juste comme le vin entre dans les bouteilles !

Nous allons faire comme lui, en remontant toutefois rue Raynouard, puis à la hauteur du n° 59, prendre l'escalier, tourner en épingle à cheveux pour arriver rue Berton. Le miracle se parachève, nous voilà en plein XIXe siècle, vieux pavés, vieux murs, réverbères : tout y est. Après être passé au bas de la maison de Balzac, nous arrivons rue d'Ankara. A main droite, un petit pavillon du XVIIIe siècle, une belle grille : c'est l'entrée de la résidence de campagne de la princesse de Lamballe, amie de Marie-Antoinette. Descendons et prenons l'avenue du Général-Mangin, pour admirer à travers les grilles, la façade sur jardin de cette élégante résidence à perron de pierre, aujourd'hui occupée par l'ambassade de Turquie.

Par la rue du Ranelagh, puis la rue Raynouard, allez voir au n° 14 de la rue de La Fontaine, une des plus curieuses maisons modern style de Paris : le Castel Béranger, construit par Hector Guimard, l'architecte des stations de métro. Ne manquez pas l'extravagant hall d'entrée, en lave émaillée, les mosaïques, les verrières et la fontaine anthropomorphe de la cour intérieure, les hippocampes de bronze etc.

Dans le même style, dans la même rue, arrêtez-vous devant les nos 17 et 18. Au n° 40, vous passerez devant une curieuse chapelle néo-gothique (on peut visiter), celle des orphelins apprentis d'Auteuil.

Comme vous avez commencé cette promenade chez Balzac, pourquoi ne pas la terminer devant le n° 96 de la rue La Fontaine : Marcel Proust, auteur aussi prolixe que Balzac, y naquit en 1871.

Ou encore, si vous avez le courage, un autre dépaysement vous attend au bout de la rue Michel-Ange dans les petites ruelles qui quadrillent l'espace entre les rues Claude Lorrain et Parent-de-Rosan : un « village » de maisonnettes et de jardins lilliputiens, plein de charme.

From Passy to Auteuil or the sentimental geography of the sixteenth arrondissement.

Start at number 47 rue Raynouard.

The author of the Human Comedy, *Honoré de Balzac, lived in Passy, just as Molière lived in Auteuil: the west (and the sun) always having attracted builders of "follies" or just simply of country houses. In Balzac's garden and in his little house/museum, how good it is to sit, in the sprintime amid the lilacs, forgetting about the surrounding modernism, just to think about this successful writer, a favourite among society ladies. In 1840, the street was lined with a number of houses, and Balzac's could not be seen. He chose it to give the slip to his creditors! Inside, you will find his souvenirs, like his famous canes, or the coffee-pot which bears his insignia. Lower down, an exit made it possible for him to slip into the maze of gardens on the hills of Chaillot:*

> *In this house, you enter by the top,*
> *Just like wine which is poured into a bottle!*

We'll do as he did, but going up rue Raynouard, and then when we reach number 59, taking the staircase with its hairpin turns to reach the rue Berton. The trick is turned — here we are in the midst of the nineteenth century: the narrow street, the old pacing stones, the old walls, the lamp-posts — everything is there. Once we have passed below Balzac's house, we reach the rue d'Ankara. On your right-hand side there is a small house dating from the eighteenth century, with a beautiful gate: the entrance to the country residence of the Princess de Lamballe, who was a friend of Marie-Antoinette. Going down, let us take the avenue du Général Mangin, in order to admire through the grille an elegant residence with a stone staircase which today houses the Turkish Embassy. By taking the rue du Ranelagh, and then the rue Raynouard, go to see one of the most curious of Paris' modern houses, at number 14 of the rue La Fontaine: it is called Castel Béranger, and was built by Hector Guimard, who designed the Parisian underground railway stations. Don't miss

seeing the extravagant entrance-hall, in enamelled petrified lava stone, the mosaics, the stained-glass windows, the anthropomorphous fountain, the inner courtyard, the bronze sea-horses, etc.

In the same style, and in the same street are the houses at numbers 17 and 18, where you may wish to stop. At number 49, you pass in front of a curious neo-gothic chapel (you may visit it if you wish), the chapel of Apprenticed Orphans of Auteuil.

Since you have started your walk at Balzac's house, why not end it in front of 96 rue La Fontaine: Marcel Proust, an author who was just as prolific as Balzac, was born here in 1871.

Or, if you are really dauntless, yet another change of scene awaits you at the end of the rue Michel-Ange, where tiny streets interlace the area between the rue Claude Lorrain and the rue Parent-de-Rosan, where you'll find a "village" of cottages and Lilliputian gardens, full of charm.

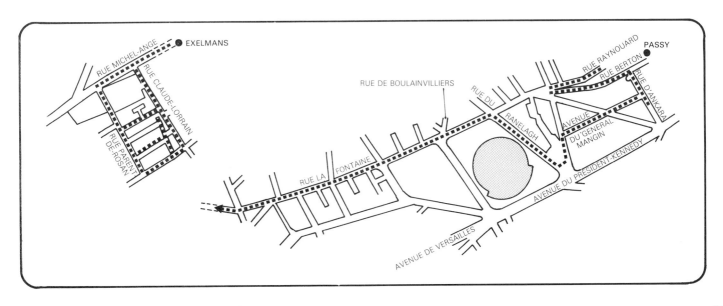

Promenade insolite dans les anciennes halles : « le ventre de Paris »

Départ : au pied de la tour Saint-Jacques

Il faut quelques semaines, voire quelques mois pour que le promeneur attentif se rende compte que le même air ne souffle pas sur les deux rives de la Seine ! Si la rive gauche fut de tout temps plus intellectuelle, rive droite nous trouvons, malgré le départ des Halles en 1970 pour la périphérie parisienne, un quartier affairé, où, dans un périmètre restreint voisinent la Bourse des valeurs, la Bourse du commerce et la Banque de France où se trouve le plus grand stock d'or du monde ! Ce quartier fut dès le XIIᵉ siècle celui où se négociaient les marchandises « de bouche ». Une des corporations les plus riches, celle des bouchers, décida de faire construire en bordure de la voie conduisant à Compostelle, sa propre église, Saint-Jacques-de-la-Boucherie, dont cette tour est le seul vestige.

On pourra imaginer la foule bigarrée des anciennes Halles en traversant la rue de Rivoli pour prendre la rue Nicolas-Flamel, alchimiste du Moyen Age. La rue des Lombards rappelle les échoppes ouvertes là par les banquiers italiens et les anciens quartiers réservés aux lingères, aux potiers, aux ferronniers etc. ont disparu, les trouvailles pittoresques abondent. L'église Saint-Merri par exemple possède à la pointe de l'ogive de son portail central, une créature rapportée d'Asie Mineure par les Templiers : « le Baphomet », un quart ange, un quart bête, un quart homme, un quart femme ! Voir l'intérieur pour ses vitraux et la chaire soutenue par deux splendides palmiers !

Revenir dans la première partie de la rue Quincampoix, celle qui commence rue des Lombards. Quel tableau : rue étroite aux façades exceptionnelles que l'on s'étonne de trouver dans un lieu si peu résidentiel (au sens moderne). Ce sont de beaux hôtels construits aux XVIIᵉ et XVIIIᵉ siècles (nᵒˢ 10, 12, 13, 15) par des marchands enrichis... Traversons le boulevard de Sébastopol pour arriver rue de la Ferronnerie. Tous les écoliers de France savent qu'Henri IV y fut assassiné en 1610, son meurtrier mettant à profit les formidables encombrements de ce quartier !

Le grand immeuble qui borde la rue à droite est le premier « building » parisien, il date de Louis XIV. Sur son revers il domine la fontaine des Innocents, dont les auteurs sont Pierre Lescot et Jean Goujon, architecte et sculpteur de la cour Carrée du Louvre. On se trouve maintenant en présence soit des îlots anciens réhabilités, soit de ce qui était le « ventre de Paris » selon le roman d'Emile Zola, en

passe de devenir sur une dizaine d'hectares un centre ultra-moderne. De la cour à ciel ouvert du Forum l'on a une vue sur l'église Saint-Eustache.

Remonter en surface, pour la voir vraiment, car elle vaut le détour, c'est la plus grande église de Paris après Notre-Dame, ses orgues sont justement célèbres, enfin elle possède, (ce qui est rare car la Révolution de 1789 ne les a pas épargnés) un très beau mausolée d'époque Louis XIV, celui de Colbert. Sortir par la façade, rue du Jour, à la hauteur du nᵒ 4, on a une vue très pittoresque sur le flanc nord de l'église. Au nᵒ 25, belle réhabilitation d'un immeuble du XVIᵉ siècle, avant d'arriver rue Montmartre et de se glisser au nᵒ 16 (n'ayez pas peur !) dans le « passage de la Reine de Hongrie », qui débouche rue Montorgueil, où l'on peut voir de très belles façades (nᵒˢ 9, 15, 19) mais aussi la plus charmante enseigne du quartier, celle de « L'Escargot d'Or », vieux restaurant à la fin du siècle dernier, à l'angle de la rue Etienne-Marcel. La boutique du nᵒ 51 de la rue Montorgueil a été décorée sous verre par un peintre de talent. A vous de découvrir sa signature !

An unusual walk through the old Paris market — "The belly of Paris".

Start at the foot of the Saint-Jacques tower.

It would take a few weeks, or even a few months, before an attentive stroller realised that the same wind does not blow on both banks of the Seine. While the Left Bank has always been more "intellectual", the Right Bank is far more mercantile, in spite of the fact that the old covered wholesale food market, the "Halles" was moved to the suburbs in 1970. In this small area, where the Paris stock market, the commodities exchange and the Bank of France are all close neighbours, there is the largest deposit of gold in the world. As early as the twelfth century, it was in this neighbourhood that foodstuffs were bought and sold. One of the wealthiest of the guilds, the But-

chers' Guild, decided to build its own church along the road leading to Compostella: it was the church of Saint-Jacques-de-la-Boucherie, of which the only remains are this single tower. You can imagine the colourful crowd of the old market area crossing the rue de Rivoli to the rue Nicolas Flamel, named after a medieval alchemist. The rue des Lombards is a reminder of the shops opened there by Italian bankers, and while the districts once reserved to laundresses, potters, iron-mongers, etc. have today disappeared, picturesque finds still abound. For example, just at the top of the central arch over the main entrance to the church of Saint-Merri, you can see a creature which was brought back from Asia Minor by the Knights Templar: the "Baphomet", one-quarter angel, one-quarter beast, one-quarter man, and one-quarter woman. Do look at the interior of the church for its stained-glass windows and its pulpit supported by two splendid palm trees! Then return to the beginning of the rue Quincampoix, the street which starts from the rue des Lombards. What a picture: this narrow street with its extraordinary house-fronts that you may be surprised to see in a neighbourhood which is not very "residential" in the modern sense. They are lovely mansions built during the seventeenth century (Nos 10, 12, 13 and 15) by rich merchants. Let's cross the Boulevard Sebastopol to reach the rue de la Ferronnerie ("Iron-mongers' Street"). Every French schoolboy knows that Henry the Fourth was assassinated here in 1610, his murderer taking advantage of the terrific crowds in the neighbourhood to get away!

The large edifice situated on the right-hand side of the street was the first "office block" in Paris, dating from Louis the Fourteenth's time. The rear of the building looks out over the Fountain of the Innocents, built by Pierre Lescot, the architect, and Jean Goujon, the sculptor, who also designed the Cour Carrée of the Louvre. Here we are admidst either old small blocks of houses that have been restored, or in the area which was the "Belly of Paris" (Le Ventre de Paris) as it was called in the title of Emile Zola's novel, now in the process of becoming a ten-hectare ultra-modern shopping centre. From the open courtyard of the Forum one can see the church of Saint-Eustache. Go back to street level again, in order to really see it, for it's well worth it: the largest church in Paris after Notre-Dame, it has a justifiedly famous organ, and (which is all the more rare, since many were destroyed during the Revolution) a beautiful mausoleum dating from the period of Louis XIV, where Colbert lies. Leave the church by the side coming out on the rue du Jour, where, at N° 14, you have a very picturesque vew of the north side of the church. At N° 25, you can see a very beautifully restored sixteenth century house, before you get to the rue Montmartre and slip into

N° 16 (don't be afraid), the "passageway of the Queen of Hungary" (passage de la Reine de Hongrie), which lets you out onto the rue Montorgueil. Here you can see not only some very beautiful house-fronts (at Nos 9, 15 and 19), but also the most charming signboard in the neighbourhood, "At the Sign of the Golden Snail" (A l'Escargot d'Or), an old restaurant dating from the end of the last century, just on the corner of the rue Etienne-Marcel. The shop at N° 51 rue Montorgueil is decorated with paintings under glass by a very talented artist. Discovering his signature will be a job for you!

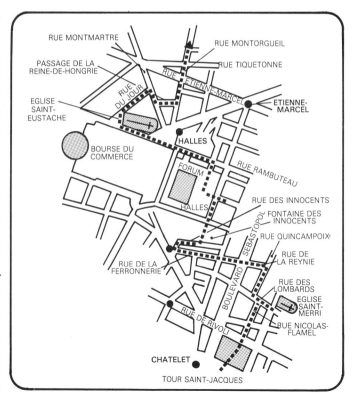

Quelques hôtels du Marais

Départ : 60, rue des Archives

Ce quartier si riche a connu depuis quelques années de nombreuses réhabilitations. Nous commençons cet itinéraire par ce qui est une restauration privée exemplaire. L'hôtel de Guénégaud fut sauvé de la ruine vers 1965 par la famille Sommer, qui, après l'avoir restauré, y a installé le musée de la Chasse et de la Nature. Hôtel construit par François Mansart, qui ne sera pas le seul des diamants enchâssés au milieu de terribles verrues.

Descendre la rue des Archives, prendre la rue de Braque. Les façades et les cours des nos 4 et 6, l'escalier du n° 4 sont d'excellents exemples de l'architecture du XVIIIe siècle. Revenir rue des Archives: l'on a devant soi une porte insolite par son époque, car elle est vraiment du XIVe siècle et c'est le seul vestige de l'hôtel de Clisson. Décidément le Marais nous fait parcourir l'histoire dans tous les sens. Au n° 60 de la rue des Francs-Bourgeois, il faut entrer pour contempler la cour harmonieuse et fer à cheval, du palais Soubise, du nom de François de Rohan, prince de Soubise, qui disait de lui-même : « Roi ne puis, duc ne daigne, Rohan suis ». Aujourd'hui, les Archives nationales sont installées là, ainsi que le musée de l'Histoire de France. Ne manquez pas de visiter les appartements.

Continuer rue des Francs-Bourgeois : au n° 42, une petite maison à pignon et charmante tourelle à fenestrage surveille le carrefour aujourd'hui bien disgracié. Nous allons remonter la rue Vieille-du-Temple, qui conduisait au nord à la résidence-forteresse des fameux Templiers. En poussant la porte du n° 58, nous verrons l'hôtel particulier d'un autre Rohan, construit par Delamair. Né des amours de Louis XIV et de la princesse de Rohan, il devint cardinal par la grâce de son royal père. On prendra plaisir à découvrir la cour des écuries, à droite de la cour principale. Les chevaux du Soleil sculptés par Robert Le Lorrain sont superbes surtout lorsqu'ils sont éclairés par le soleil.

Remonter encore la rue Vieille-du-Temple, traverser la rue de la Perle : à l'angle de la rue des Coutures-Saint-Gervais, on a une vue dégagée sur le grandiose hôtel Salé, futur musée Picasso. Le nom de « salé » lui a été donné au XVIIe siècle, par dérision, car son premier propriétaire était contrôleur de la gabelle, l'impôt sur le sel. Prenons la petite rue des Coutures-Saint-Gervais, puis la rue de Thorigny à droite : l'immeuble qui la ferme au début de la rue de la Perle, vaut d'abord qu'on le regarde de loin. Ses proportions en font un vrai petit décor de théâtre : c'est l'hôtel Libéral Bruant, architecte, qui cons-

truisit avec Mansart l'hôtel royal des Invalides. Après l'avoir restauré, la Maison Bricard y a installé il y a quelques années le curieux musée de la Serrure, que nous vous recommandons de visiter.

Tous les hôtels, admirablement orientés au sud, qui bordent la rue du Parc-Royal sont intéressants : allez voir le bel escalier de bois au n° 4. Rue Payenne, au n° 13, le Centre Culturel Suédois s'est installé dans un hôtel Renaissance. En prenant du recul, dans le square d'en face, regardez donc la forme du toit : c'est une coque de bateau, le comble « à la Philibert Delorme », seul exemple parisien d'une architecture que l'on retrouve dans les châteaux des pays de Loire.

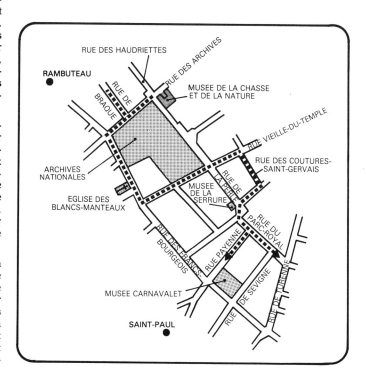

The Marais

Start at number 60 rue des Archives.

This neighbourhood, so rich in history, has for the past few years been the site of numerous restorations. Let us start this walk with what may be considered as a good example of private restoration. The Hôtel de Guénégaud was prevented from falling into ruin around 1965 by the Sommer family who set up the Museum of Hunting and Nature in it once it was restored. This mansion was built by François Mansart, and is certainly not the only diamond in an ugly setting that is to be found here. Go down the rue des Archives, and take the rue de Braque: the house-fronts and courtyards of numbers 4 and 6, and the staircase of number 4, are excellent examples of seventeenth century architecture. Returning to the rue des Archives, you can see a door which is quite unusual because of its age, as it realy belongs to the fourteenth century, and is the last vestige of the Hôtel de Clisson. A walk in the Marais certainly takes one through all the different periods of history. Go into number 60 rue des Francs-Bourgeois to view the harmonious horseshoe-shaped courtyard of the Soubise Palace, named after François de Rohan, Prince of Soubise, who said of himself "King cannot be, duke do not deign, so Rohan remain.". Today the palace houses the National Archives and the Museum of French History. Don't miss visiting the living quarters of the palace.

Continue on down the rue des Francs-Bourgeois: at number 42, a little gabled house with a charming windowed turret looks out over the crossing, today fallen from its former graces. We will walk back up the rue Vieille-du-Temple, which led north to the fortress where the famous Knights Templar resided. By opening the door of number 58, you will see the private mansion of yet another Rohan, built by Dalmair. Born of the love of Louis the Fourteenth for the Princess of Rohan, he became cardinal thanks to the patronage of his royal father. It is a pleasure to discover the stable courtyard on the right of the main courtyard. The Horses of the Sun (Chevaux du Soleil), sculpted by Robert Le Lorrain, are magnificent, especially when they are sunlit.

Let us go back up the rue Vieille-du-Temple and cross the rue de la Perle: at the corner of the rue des Coutures-Saint-Gervais, you have a revealing view of the grandiose Hôtel Salé, which is to become the Picasso Museum. The name "salé"(salted) was given to this mansion in the seventeenth century out of mockery, because its first owner was the collector of the salt-tax. Let's take the small rue des Coutures-Saint-Gervais, then the rue de Thorigny to the right — the last building on it, just at the beginning of the rue de la Perle, should first be viewed from a distance. Its proportions make it a truly theatrical setting. This is the Hôtel Libéral Bruant, named after an architect who built, along with Mansart, the Royal Hôtel des Invalides. The Bricard Compagny restored it a few years ago and housed in it the museum of Locks (Musée de la Serrure) which we recommend that you visit.

All of these mansions, admirably facing south along the rue du Parc-Royal, are interesting — go to see the beautiful wooden staircase at number 4 rue Payenne, or the Renaissance house at number 13, where the Swedish Cultural Centre is located today. Give yourself some distance to view the building by standing in the square across from it, and notice the shape of the roof — it looks like the hull of a ship, and is called "in the style of Philibert Delorme". It is the only example that can be seen in Paris of this type of architecture that is found in the castles of the Loire provinces.

A la recherche des deux reines Margot dans le Pré-aux-Clercs

Départ : 23, quai Conti

Evoquer la Reine Margot devant cette superbe façade du XVIIᵉ siècle est bien difficile. Nous nous sommes trompés de décor ! Où se trouve la Tour de Nesle, l'une de celles qui jalonnaient le rempart de Paris, d'où à la fin de la nuit, la reine faisait jeter ses amants dans la rivière ? La réponse se trouve sur une plaque apposée sur l'avant-corps gauche de ce superbe bâtiment en demi-lune : l'Institut. Derrière sa façade, imitée de celles de Rome, se cachent les salles de travail des cinq académies, dont l'Académie française. C'est l'ancien collège des quatre Nations, construit par l'architecte Le Vau qui n'avait, pour surveiller ce chantier, qu'une barque à prendre, car il construisait une partie du Louvre, en face. Les deux cours sont fort belles ; on peut s'y hasarder, en semaine.

Ressortir et prendre à gauche le passage voûté sous l'avant-corps droit qui débouche rue de Seine. Flâner jusqu'à la rue des Beaux-Arts où mourut au n° 13 le poète-romancier-humoriste Oscar Wilde. Au fond de la rue, l'école des Beaux-Arts, qui dérobe au visiteur les vestiges d'un hôtel construit pour l'autre reine Margot, la première épouse d'Henri IV. Descendre la rue Bonaparte jusqu'à la rue Visconti tellement étroite que les portes cochères y sont plus larges que de coutume, de sorte que voitures et chevaux puissent tourner commodément. Maisons aux habitants célèbres : Jean Racine au n° 24, Balzac au n° 19, où il avait installé une imprimerie, qu'il dut liquider en pleine déconfiture au bout de deux ans.

A l'angle de la rue Visconti et de la rue de Seine : ancienne grille de marchand de vin décorée de pommes de pin. Le promeneur s'il lève la tête, verra à gauche de curieuses mansardes : l'on y conservait dans les greniers la paille pour les chevaux. Ce quartier de la rive gauche regorge d'intérêt : galeries, antiquaires, fournisseurs des artistes, restaurants sans façon pour les élèves des Beaux-Arts, terrasses de plein air, notamment aux deux angles de la rue Jacques-Callot.

Rue Mazarine, visite insolite : il faut descendre dans le parking par un escalier qui se trouve passage Dauphine. L'on y découvrira sur deux étages, le mur de Philippe-Auguste, du XIIᵉ siècle restauré et illuminé, celui-là même que couronnait la tour de Nesle. On ressortira du parking par le même chemin pour déboucher rue Dauphine. Une fois sur le quai, reprendre en sens inverse la rue de Nevers. En passant sous la voûte, arrêtez-vous pour déchiffrer une incription en vers à la gloire du Pont-Neuf tout proche, et, puisque nous sommes au cœur du vieux Paris traversons la Seine pour flâner dans l'île de la Cité.

Looking for the two queens Margots in the Pré-aux-Clercs.

Start at number 23 Quai Conti.

To evoke Queen Margot in front of this superb seventeenth-century facade is rather difficult. We have made an error in the setting! Where is the Tower of Nesle, one of those which marked the fortifications of the city, where the Queen had her lovers thrown into the river late at night? The answer can be read on an engraved plate on the left front part of this superb building shaped like a half-moon. Behind its facade, an imitation of those found in Rome, are the work-rooms of the five academies, one of which is the Académie Française. This is the former Collège des Quatre Nations, built by the architect Le Vau: to see how the work was going during construction, he simply had to cross the Seine by boat, since at the same time he was working on part of the Louvre just across the river. The two courtyards are superb, and on weekdays you can certainly chance going in to look. On leaving, take on your left the arched passageway starting at the right front part of the building. This passageway comes out on the rue de Seine. Stroll down to the rue des Beaux-Arts, where at number 13 is the house where the poet, novelist and humourist, Oscar Wilde, died. At the end of the street, the

School of Fine Arts conceals the vestiges of a mansion built for the other queen Margot, wife of Henry the Fourth. Walk down the rue Bonaparte up to the rue Visconti, which is so narrow that here the carriage doors are wider than usual, so that the carriages would turn easily. These houses had famous residents: Jean Racine lived at number 24, Balzac at number 19, where he set up a printing business which he was forced to liquidate after it went bankrupt two years later. At the corner of the rue Visconti and the rue de Seine you can see an antique wine-merchant's grille decorated with pine-cones.

If the stroller looks up, he'll see some curious-looking garret windows, which were once lofts where hay for the horses was kept. This Left Bank neighbourhood is full of interesting sports: galleries, antique shops, artists' suppliers, unpretensious restaurants for the students of the School of Fine Arts, and open-air terraces, particularly on both corners of the rue Jacques-Callot.

There is something quite unusual in a visit to the rue Mazarine: you must go down into the underground car park by a flight of stairs on Passage Dauphine. There you will see one of the fortifed walls built by Philip-Augustus in the twelfth century, extending over two floors, which has been restored and lit with floodlights. This is the very wall once topped by the Tower of Nesle.

Leave the car park by the same route, which lets you out onto rue Dauphine. Once you reach the bank of the river, take the rue de Nevers in the opposite direction. As you walk under the archway, stop for a moment to make out an inscription in verse to the glory of Pont-Neuf, which is located nearby. Since we are here in the heart of Old Paris, let us cross the Seine for a stroll on the Ile de la Cité.

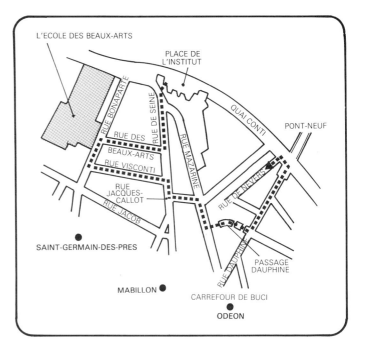

Anciens îlots dans l'île de la Cité

Départ : devant la statue d'Henri IV sur le Pont-Neuf

Qui peut imaginer, même s'il est parisien, l'île peuplée de Gaulois, il y a 2 000 ans avant Jésus-Christ ? Qui peut imaginer l'île seulement à deux mètres au-dessus de l'eau, en proie aux inondations perpétuelles ? Qui peut imaginer environ quatre siècles d'occupation romaine (jusqu'en 350) et l'empereur Julien sur le toit-terrasse de son palais, regardant vers l'ouest et trouvant à cet endroit un charme ineffable ? Qui peut imaginer la vieille cité du Moyen-Age aux ruelles tortueuses, fangeuses et sordides ? Au siècle dernier, le baron Haussmann fit démolir une grande partie de ce vieux Paris. Bref, notre île de la Cité, qui a une forme de navire, abrita de tous temps d'un côté le pouvoir temporel, avec le palais de l'Empereur, puis celui des rois des Francs, devenu — très remanié — le Palais de Justice et de l'autre le temple, puis la cathédrale, siège du pouvoir religieux.

L'îlot du Vert-Galant en contrebas du Pont-Neuf donne à peu près le niveau initial de l'île. Quant au roi Henri IV auquel nous avons donné ce surnom flatteur, il trône depuis la Restauration sur ce superbe cheval de bronze. Savez-vous que le fondeur était un ardent bonapartiste et qu'il glissa dans le bras droit d'Henri IV une statue de Napoléon, qui s'y trouve encore ? Le Pont-Neuf, avec ses amusants médaillons sculptés sur son tablier, est le premier à ne pas porter de maisons, lorsqu'on le construisit au XVIIᵉ siècle.

La petite place Dauphine est aussi une création du bon roi Henri tout comme la place des Vosges. Son charme est intact, même si les maisons initialement en briques et pierres furent détruites ou surélevées. Passer du côté du quai de l'Horloge, où se trouve l'entrée de la Conciergerie de l'ancien Palais Royal, que l'on pourra visiter, ainsi que le cachot de Marie-Antoinette. Trois grosses tours rondes se dressent sur le quai, dont une s'appelle Bonbec, car l'on y pratiquait la torture qui déliait les langues ; à l'angle du boulevard du Palais, une tour carrée dite tour de l'Horloge, dont le cadran orné de fleurs de lys date de 1585. Derrière les splendides grilles dorées de l'entrée du Palais de Justice, se trouve le merveilleux reliquaire de pierre, que le roi saint Louis fit construire pour installer les reliques de la Passion. Les vitraux sont célèbres et la visite s'impose.

Gagner la place Louis-Lépine où se trouve à l'année le marché aux fleurs en semaine et aux oiseaux le dimanche. En prenant la rue de la Cité l'on arrive sur le parvis de Notre-Dame : la vue est grandiose et bien sûr nous vous conseillons aussi de voir l'intérieur et notamment la rose du transept nord, si belle dans ses bleus... Toutefois, si vous désirez connaître l'histoire de la Cité, la crypte archéologique de Notre-Dame au fond du parvis, vers la rue de la Cité, vous en racontera les premiers siècles. La copie d'un pilier romain en signale l'entrée.

Au nord de la cathédrale, voici un îlot préservé des destructions du baron Haussmann, ce que l'on appelle « le cloître Notre-Dame », c'est-à-dire l'enclos où vivaient les chanoines et où vécurent Héloïse et Abélard, les Roméo et Juliette français. Héloïse, nièce du chanoine Fulbert, fort belle et fort savante, eut comme professeur Abélard, qui s'éprit d'elle. Lorsque Fulbert apprit qu'Héloïse portait le fruit de ses amours avec Abélard, « il le fit punir par où il avait péché ». La maison aujourd'hui reconstruite se dressait sur le quai aux Fleurs : à vous de trouver l'endroit ! Avant d'y aller, passez donc rue des Chanoinesses, elle recèle quelques découvertes : portes cloutées Louis XIII au n° 12, deux charmantes maisons avec cours pittoresques aux n° 22 et 24, pierres tombales en pavement au n° 26. Pour terminer votre promenade, allez voir rue des Ursins, angle rue des Chantres, le plus vieil hôtel de la Cité, il est du XVᵉ.

Ancient greenery on the Ile de la Cité

Start in front of the statue of Henry IV on the Pont-Neuf.

Who could imagine, even if he is a Parisian, this island when it was peopled by Gauls, some 2000 B.C.? Who can imagine this island, just two metres above the water level, perpetually plagued by flooding? Who can imagine that it was occupied for almost four centuries by the Romans (up to 350 A.D.), and that from here, the Emperor Julian looked out from the terrace roof of his palace over the ineffable charm of this spot? How is one to picture the ancient city of medieval times, with its narrow, sordid streets full of mud? During the last century, Baron Haussmann demolished large parts of Old Paris. To make a long story short, our Ile de la Cité, which is shaped like a boat, has always been on the one hand the seat of earthly power, with the Emperor's palace, then the palace of the Kings of France, which after much alteration, became the Palais de Justice (law-courts of Paris), while on the other hand it was the seat of religious power, with first the Temple, and then the Cathedral.

The Square of the Green Gallant (îlot du Vert-Gallant) just in front and below the Pont-Neuf gives you an idea of the original height of the island. As for Henry the Fourth, the owner of this flattering nickname, he has been enthroned since Restoration times atop this superb bronze. Did you know that the man who smelted the statue was an ardent follower of Napoleon Bonaparte, and that he slip-

ped a statue of Napoleon into the right arm of Henry the Fourth, where it still is today? The Pont-Neuf, with its curious oval bas-reliefs sculpted into the structure of the bridge, was the first bridge without houses on it when it was built in the seventeenth century.

The little place Dauphine is also the work of Good King Henry, as is the place des Vosges. Its charm is still intact, even if its original houses of brick and stone have been destroyed or have had additional storeys added to them. Continue on to the Quai de l'Horloge, where the entrance to the Conciergerie of the former royal palace is located. You can visit this former dungeon, where you will see the cell where Marie-Antoinette was imprisoned. Three large round towers stand on the quay. One of them is called Bonbec ("Gabber's Tower") since it is here that prisoners were tortured and forced to spill the beans. At the corner of the Boulevard du Palais is a square tower which is called the Tour de l'Horloge ("The Clock Tower"): its clock-face decorated with fleur-de-lys dates from 1585. Behind the splendid gilded gates leading into the law courts is the marvellous stone reliquary that King St. Louis had built for the relics of Christ. The stained-glass windows are famous and well worth seeing.

Then go to the place Louis-Lepince where the flower market is held on weekdays, and the bird market on Sundays. By taking the rue de la Cité, you will reach the Parvis de Notre-Dame: the view is

majestic. Of course we recommend that you see the interior as well, and in particular the northern transept, so beautiful with its different blue colours. However, if you'd like to know about the history of the Cité, then do visit the archeological crypt of Notre-Dame at the back of the Parvis, near the rue de la Cité, which will tell you about its first centuries. A copy of a Roman pillar marks the entrance.

North of the cathedral is a little square which was saved from the destruction wrought by Baron Haussmann, called "The cloister of Notre-Dame"; here lived the ecclesiastical dignitaries of the chapter of the Cathedral, as well as Héloise and Abelard, the French Romeo and Juliette. Héloise, the daughter of the chapter digitary Fulbert, a beautiful and intelligent girl, had a teacher named Abélard, who fell in love with her. When her father learned that Héloise was to bear the fruit of her love for Abélard, he had Abélard punished "in that which made him sin". The house, which has been restored, is located on the Quai aux Fleurs: you will have to discover the spot! Before going there, though, do walk through the rue des Chanoinesses, which will reveal its treasures to you: nailed doors dating frome Louis the Thirteenth at N° 12, two charming houses with picturesque courtyards at N°s 22 and 14, tombstones in the pavement at N° 26. To end your walk, go to see the oldest mansion on the island, dating from the fifteenth century, which is to be found on the corner of the rue des Chantres.

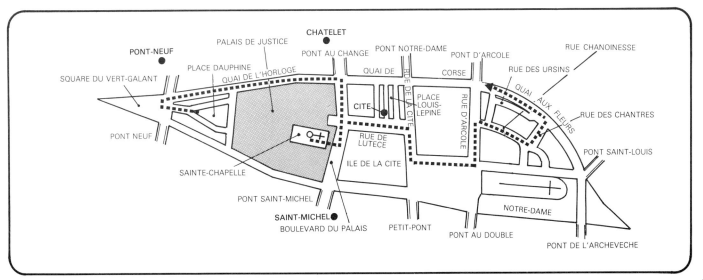

Du côté du Cherche-Midi

Départ : devant l'église Saint-Sulpice

Le visiteur qui aura découvert place Furstenberg, au n° 6 l'atelier du peintre Delacroix, pourra voir dans cette majestueuse église du XVIIIe siècle, dans la première chapelle à droite en entrant, sa dernière œuvre monumentale : la chapelle des Saints-Anges, signée et datée de 1862. Ce grand peintre avait obtenu de poursuivre son travail pendant les offices, la musique de l'orgue exaltant son imagination. Après la visite de l'église, on sortira vers la rue des Cannettes, aussi étroite que l'esplanade était spacieuse, contraste fréquent à Paris, où un quartier du XVIIIe siècle empiète comme ici sur le Moyen-Age. Au n° 18 de la rue, l'enseigne sculptée qui lui donna son nom. Revenir vers la rue Saint-Sulpice, et voir au chevet de l'église une chapelle à tourelle fort originale. De la rue Palatine, belle vue sur l'église et ses jardins suspendus. Au n° 27 de la rue Saint-Sulpice, une cour tranquille à petit pavillon et une belle porte. Pour voir par contre, une cour noble avec un très spectaculaire escalier de fer forgé, aller rue de Tournon, au n° 4, où habita Lamartine.

Au bout de la rue, si l'on veut se dépayser, une copie assez fidèle du palais Pitti de Florence fut construit pour Marie de Médicis, veuve d'Henri IV. Mais c'est dans le jardin du Luxembourg qu'on pourra admirer les bossages toscans et la Fontaine Médicis. Prendre la rue de Vaugirard jusqu'au n° 70 : l'église des Carmes se visite et forme avec la palais du Luxembourg un ensemble intéressant, puisque de même époque. Plusieurs chapelles latérales sont caractéristiques de ce baroque très ouvragé venu d'Italie, comme la Vierge à l'enfant en marbre blanc du Bernin, architecte de Saint-Pierre de Rome.

Descendre la rue d'Assas jusqu'à la rue du Cherche-Midi. Au n° 19, comme pour la rue des Cannettes, une enseigne avec un vieillard et un cadran solaire donna son nom à la rue et orientait les pèlerins vers le sud, ceux-là même qui partaient vers Compostelle et prenaient les itinéraires de « déviation » par la rue Mouffetard ou celle-ci. Pèlerin parisien, pourquoi ne pas faire une halte chez Poilane, au n° 6, qui, il y a presque 50 ans, décida de refaire le pain et les gâteaux « à l'ancienne » dans son fournil du XIIe siècle.

Si les élégantes Parisiennes trouvent dans ce quartier, leur joli nez au ras des étalages, ce « style rive gauche » irremplaçable, il n'est pas sûr qu'elles lèvent la tête pour regarder les maisons, ce que nous allons faire après avoir passé le carrefour de la Croix-Rouge, dédaigné la rue du Vieux-Colombier — celui des abbés de Saint-Germain-des-Prés — dédaigné encore la rue de Grenelle (de garenne aux lapins) et choisi décidément dans cette ménagerie le dragon, qui splendide avec sa queue en panache, domine le balcon cintré à l'angle de la rue du même nom. Toutes les maisons de la rue du Dragon ont du charme, celle de Victor Hugo jeune homme au n° 30, celle du n° 24 avec un médaillon de Bernard Palissy, qui brûlait ses meubles pour façonner d'étranges plats en terre cuite émaillée. Aller jusqu'au n° 10 : au fond d'une cour privée se trouve un petit hôtel aux belles ferronneries.

Traverser la rue pour revenir sur ses pas : on verra avec intérêt les façades des n° 14, 16 et 18. Pour finir par le Paris de François Villon, prendre la petite rue du Sabot, qui continue la rue Bernard-Palissy. Point n'est besoin d'avoir beaucoup d'imagination pour rêver aux embarras de Paris, aux chanteurs de rue, aux petits métiers ambulants...

In the direction of Cherche-Midi

Start in front of the church of Saint-Sulpice.

If you have already discovered Delacroix's studio at N° 6 place Furstenburg, then you will be interested in seeing his last monumental work, located in this church. It is in the first chapel on your right as you enter, the Chapel of the Holy Angels (Chapelle des Saints-Anges) and is signed and bears the date 1862. The great painter used to work during the religious services, since the organ music inspired his imagination. After visiting the church, go out onto the rue des Cannettes, as narrow as the esplanade was wide; such contrasts are frequent in Paris, where a seventeenth-century neighbourhood encroaches on the Middles Ages, as here. At N° 28, you can see the sculpted tavern sign which gave its name to this street. Go back towards the rue Saint-Sulpice to see, just at the apse of the church, a curious turreted house. From the rue Palatine, you have a beautiful view of the church and its hanging gardens. At N° 27 rue Saint-Sulpice, you can see a charming little house with a beautiful door set in a quiet courtyard. On the other hand, if you wish to see a more "noble" courtyard with a spectacular wrought-iron staircase, go to the rue de Tournon, to the house at N° 4, where Lamartine lived.

At the end of the street, if you wish to have a change of scenery, you will find a fairly faithful copy of the Pitti Palace in Florence, built for Marie de Médicis, widow of Henry the Fourth. However, it's in the Luxembourg Gardens that you can admire the Médicis Fountain, in bossaged Tuscan stone. Take the rue de Vaugirard up to N° 70, where the church of Carmes, which is open to visitors, makes an interesting set with the Luxembourg Palace, since both were built around the same time. Several side chapels offer good examples of this extremely finely-worked baroque style imported from Italy, such as the Madonna in white marble sculpted by Bernini, the architect who built Saint Peter's in Rome.

Go down the rue d'Assas until you reach the rue du Cherche-Midi. At N° 19, as in the rue des Cannettes, you will see a tavern sign representing an old man and a sundial, after which the street was named ("Cherche-Midi" means "Look for the South"), and which directed pilgrims to Compostella, those who took "alternative" routes such as the rue Mouffetard or this street, southward. Since we too are pilgrims of Paris, why don't we stop at Poilane, at N° 6, where almost 50 years ago, the baker Poilane decided to return to making bread and cakes as in bygone days in his twelfth-century bread oven.

If the elegant ladies of Paris find in this neighbourhood that irreplaceable "Left Bank style", their pretty noses glued to the stalls in the market-place, it is not at all certain that they lift their heads to look at the houses, as we will now do after having crossed the corner at the Carrefour de la Croix-Rouge (Red-Cross Crossroads). We will not bother to go into the rue du Vieux-Colombier — where the Abbotts of Saint-Germain-des-Prés resided — or the rue de Grenelle (from the expression "garenne aux lapins" or rabbit-warren), to choose from among this local menagerie the rue du Dragon, where a splendid dragon adorns with his tail the arched balcony of a house on the corner of this street which bears his name. All of the houses in the rue du Dragon are most charming: at N° 39, the house where Victor Hugo lived as a young man, the house at N° 24, with an oval bas-relief of Bernard Palissy, an artist who burned his own furniture to fire the curious dishes he made of enamelled terra cotta. Go up to N° 10, where in a private courtyard you can see a small mansion with beautiful wrought-iron adornments.

Cross the street to turn back and as you go, do notice the interesting house fronts at Nos 14, 16 and 18. To end your walk with a glimpse of François Villon's Paris, take the tiny rue du Sabot, which is a continuation of the rue Bernard-Palissy. With just a little imagination, you can conjure up the press of medieval Paris, as it once was here, with its street singers, itinerant workmen, etc.

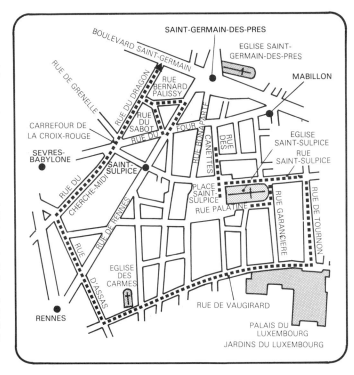

De la Concorde au Palais-Royal

Rendez-vous : au pied de l'Obélisque, place de la Concorde

Nous avons tenu à vous donner pour ce dernier itinéraire le rendez-vous le plus « touristique » qui soit, mais nous allons vite vous écarter des sentiers battus. Commençons donc par cet obélisque orphelin — son jumeau est à Louxor — qui est certainement le cadeau le plus original et le plus encombrant qu'un souverain n'ait jamais offert lors d'une visite, celui de Mehemet Ali au roi Louis-Philippe. Entrons dans le jardin des Tuileries. Nous supposons que vous connaissez le musée du Jeu de Paume, aussi ne nous y arrêterons pas, mais savez-vous qu'en contrebas, vers l'est se trouvent quelques vestiges du palais des Tuileries, incendié en 1871, et remontés ici ?

Traversons la rue de Rivoli puis dirigeons-nous vers la place Vendôme par la rue de Castiglione. Pour cette rue, comme pour la rue de Rivoli, de la Concorde au Louvre, Napoléon 1ᵉʳ imposa la mode italienne des promenoirs couverts. La place Vendôme est splendide : forme carrée à pans coupés, balcons aux armoiries de Louis XIV, « le Roi Soleil », ordonnance majestueuse des façades et blondeur de la pierre, voici le chef d'œuvre de Jules Hardouin-Mansart, architecte de Versailles. La colonne Vendôme quant à elle, rappelle une fois de plus l'Italie admirée : elle est inspirée de la colonne Trajan à Rome, mais ici elle est faite avec le bronze des canons pris aux ennemis de l'empereur. C'est d'ailleurs lui qui figure contre son gré au sommet de la colonne. Au n° 12, le dernier logis parisien de Chopin, qui y mourut à l'âge de 39 ans.

Revenons rue Saint-Honoré, cette artère est/ouest qui commence dans les anciennes Halles, quartier populaire, est ici dans sa partie résidentielle. Les façades s'ornent de balcons chantournés, comme aux n° 372, 370 et 366, (très belle porte), superbe escalier au n° 350. Les sobres façades des n° 229, 231, 233 et 235 sont Louis XVI et faisaient partie du couvent des Feuillants : c'est là que s'installera, sous la Révolution, le club du même nom. Plus loin encore au n° 211, la cour nous fait découvrir un remarquable immeuble Louis XV, dont l'occupant en 1774 n'était autre que La Fayette. Agé de 16 ans, il venait d'y épouser une demoiselle de 15 ans, une Noailles (sa famille possédait l'hôtel) et la reine Marie-Antoinette les honora de sa visite.

Au n° 286, sur les marches de l'église Saint-Roch, il faut évoquer le pâle et chétif petit général Bonaparte qui, le 13 Vendémiaire de l'an IV, connut ses premières heures de gloire en matant l'insurrection du quartier. Contre l'église, rue Saint-Roch, les boutiques ne

manquent pas de cachet, en particulier celle d'un perruquier sous Louis XIII au n° 18. On pourra voir au n° 37 le bel escalier d'un immeuble XVIIIᵉ siècle, et revenir en pénétrant par le bas côté dans l'église, de pur style Jésuite. Se diriger ensuite vers la place André-Malraux. A droite, le grand bâtiment à colonnes abrite la Comédie Française. Prendre la rue de Richelieu, où justement, à l'angle de la rue Molière se trouve la fontaine érigée au XIXᵉ siècle, en hommage ce grand auteur, qui mourut non loin de là, en 1673 en jouant « Le Malade imaginaire ». Si vous le désirez, vous pourrez poursuivre votre chemin vers le nord et visiter au n° 58 la Bibliothèque nationale et son Cabinet des Médailles, ou bien goûter quelques moments paisibles dans les jardins du Palais-Royal, en empruntant le petit passage Hulot juste avant d'arriver à la rue des Petits-Champs.

From the place de la Concorde to the Palais-Royal.

Let's meet in front of the Obelisk on the place de la Concorde.

We wanted to save until last this itinerary, which is one of the most "touristy" that exist in Paris, but we will readily keep you away from beaten tracks. Let us begin, then, with this orphaned obelisk — its twin is at Luxor — certainly one of the most original and encumbersome gifts that a king ever made during a visit. Mehmet Ali presented it to King Louis-Philippe upon his visit to the city. Let's enter the Tuileries Gardens, which we will not stop at the Museum of the Jeu de Paume, which we assume you are already familiar with. But did you know that down below it to the east you can find remains of the Tuileries Palace, which burned in 1871, and which were reconstructed here?

Let's cross the rue de Rivoli, and then continue on toward the place Vendôme by the rue de Castiglione. For this street, as for the rue de Rivoli which goes from the Concorde to the Louvre, Napoleon I had covered galleries in the Italian style built. The place Vendôme is splendid: its cut-cornered square shape, its balconies bearing the arms of Louis XIV, the Sun King, the majestic arrangement of the house-fronts and the light colour of the stone all make it the masterpiece of Jules Hardouin-Mansart, the architect who built Versailles. The Vendôme column itself is a reminder of Italy: it is a copy of the

Trojan column in Rome, but here, the column is made of bronze, which came from the smelted cannons taken from the Emperor's enemies. It is moreover the Emperor himself who is enthroned (against his wishes) on top of the column. At N° 12 is the house which was the last home of Chopin, and where he died at the age of 39.

Let us return to the rue Saint-Honoré, this axis running east to west, begins in the old covered market area, the Halles, a working-class neighbourhood, and which here is a residential area. The house-fronts are decorated with rounded balconies, for instance Nos 372, 370 and 366 (which has a beautiful door); there is a superb staircase at N° 350. The austere facades of Nos 229, 231, 233 and 235 are from Louis XVI and were part of the Couvent des Feuillants. Here as well, the Revolutionary Club bearing the same name was established.

Farther on, at N° 211, we discover in the courtyard a remarkable Louis XV house, whose resident in 1774 was none other than La Fayette. At that time he was only 16 years of age, and had just married a 15-year-old, the daughter of the Noailles family (who owned the Hôtel de Noailles); Queen Marie-Antoinette honoured them with her presence at their marriage.

At N° 286, on the steps of the church of Saint-Roch, you can imagine the pale, puny General Bonaparte who lived his first hours of glory on the 13 Vendemiaire of the year IV of the Revolution, when he put down the insurrection in this neighbourhood. Across from the church of Saint-Roch, the shops have lots of character, especially the one at N° 18, which belonged to a wig-maker at the time of Louis XIII. At N° 37, you can see the lovely staircase of an eighteenth-century building, and then come back to the church to enter it through the smaller nave. The church is in a pure Jesuit style.

Continue towards the place André-Malraux. On the right, the large building with columns is the Comédie Française. Take the rue de Richelieu where, most appropriately, you can see the fountain built in the nineteenth century in honour of Molière, at the corner of the rue Molière. The playwright died not far from her in 1673, as he was acting in his play "Le Malade Imaginaire". If you wish, you can continue your route northward to visit the National Library, with its Cabinet des Médailles (Museum of Medals) at N° 58, or enjoy a few moments of peace in the Gardens of the Palais Royal, by going through the Passage Hulot just before you reach the rue des Petits-Champs.

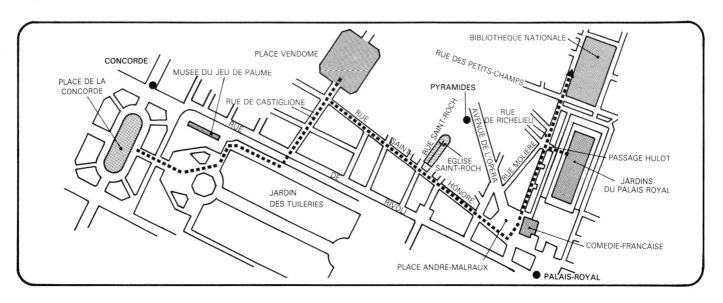

Paris en chiffres

Population parisienne

2 500 000 habitants dont 350 000 étrangers permanents.
La région Ile de France est de 10 400 000 habitants comprenant : la Seine et Marne, les Yvelines, l'Essonne, les Hauts de Seine, la Seine Saint-Denis, le Val de Marne et le Val d'Oise.
Visiteurs : plus de 12 000 000 de touristes par an.

Géographie de la capitale

Le point le plus bas est de 26 mètres (Grenelle) au dessus du niveau de la mer, le plus haut est Montmartre 130 m, Ménilmontant 120, Montagne Sainte-Geneviève 65 m.
Surface : 105 km² dont 9,5 km² pour le Bois de Vincennes et 8,5 km² pour le Bois de Boulogne.
Longueur Est-Ouest 12 km, largeur Nord-Sud 9 km, périmètre 35 km.
La Seine mesure 13 km dans la traversée de Paris.
444 000 arbres pour un total d'espaces verts d'environ le 1/4 de la surface.

Pour mieux connaître

Paris est à la fois 1 département, 1 commune, 20 arrondissements et 80 quartiers.
Jusqu'au 4e siècle Paris s'appelait Lutèce.
Environ 95 000 immeubles pour 1 260 000 logements, 64 000 commerces, 17 000 cafés et restaurants, 3 800 hôtels, 352 kiosques à journaux ou à fleurs, 250 bouquinistes.
La plus vieille maison de Paris est au 51, rue de Montmorency, construite en 1407 par Nicolas Flamel. Les plus vieux arbres, 2 robiniers de 382 ans (Jardin des Plantes et square Viviani).

Nombre de voies

3 209 rues	187 squares
314 places	112 boulevards
310 avenues	35 ponts
236 impasses	20 cimetières

La plus longue rue : la rue de Vaugirard 4,3 km.
La plus courte : rue des Degrés 5,75 mètres.
La plus large : l'avenue Foch 120 mètres.
La plus étroite : passage de la Duée 0,60 mètre.
(la rue du chat qui pêche (5e arr.) a 1,57 m de large).
Au total 5 254 voies (avec les impasses, les chaussées, les quais, les cours, etc) totalisent 1 245 km.

Transports

3 aéroports : Le Bourget, Orly, Charles de Gaulle/Roissy.
Trafic : environ 950 mouvements quotidiens d'avions.
14 300 taxis — 724 stations.
Métro :
fondé en 1900, actuellement 15 lignes pour 190 km auxquelles s'ajoutent 3 lignes RER avec 92 km au total. 358 stations, plus de 4 000 000 de voyageurs par jour.
Le bus : 55 lignes et 502 km, 1 614 points d'arrêts.

Paris... culturel

— 94 musées
— 86 bibliothèques municipales

— 61 théâtres dont 2 théâtres lyriques nationaux (l'Opéra et l'Opéra Comique)
— 32 cafés-théâtres
— 159 discothèques
— 95 cabarets, dancings
— 48 salles de concert
— 15 salles de concert de jazz
— 499 salles de cinéma
— 320 galeries d'art
— 22 music-halls
— 280 ateliers d'art et d'expression culturelle
— 208 édifices religieux (églises, temples, synagogues).

Les principaux monuments

155 monuments et fontaines illuminés
305 parcs de promenades ouverts au public

Leur hauteur

Tour Eiffel : 320,75 m (avec l'antenne)
Tour Maine-Montparnasse : 210 m
Invalides : 105 m
Panthéon : 83 m
Sacré-Cœur : 80 m
Notre-Dame : 69 m
Opéra : 54 m
Arc de Triomphe de l'Etoile : 49,54 m
Bastille : 47 m
Colonne Vendôme : 45 m
Centre Georges Pompidou : 42 m
Obélisque de la Concorde : 27 m

La Tour Eiffel

— 1 968 287 entrées payantes en 1889
— 3 429 571 en 1979
— hauteur avec l'antenne : 320,75 m
— poids total du monument en 1889 : 9 700 tonnes dont 7 000 pour la partie métallique
— 45 tonnes de peinture et 2 000 heures de travail sont nécessaires pour repeindre la tour tous les sept ans.

L'Arc de Triomphe

— Plus de 600 000 visiteurs par an
— hauteur : 49,54 m
— largeur : 45 m

Notre-Dame

Plusieurs millions de visiteurs par an
— 130 m de long, 48 m de large, 35 m de hauteur sous voûte, 5 500 m² de superficie ; construite pour contenir 9 000 fidèles dont 1 500 dans les tribunes.

Basilique du Sacré-Cœur

— bâtie à 129 m d'altitude
— cloche « la Savoyarde » pesant près de 19 tonnes
— vue panoramique de 50 km à la ronde
— longue de 85 m, large de 35 m, dôme haut de 83 m, campanile haut de 84 m.
— escalier d'environ 250 marches
— 83 puits de 38 m de haut ont dû être forés pour renforcer les fondations constituées d'anciennes carrières de plâtre.

Panthéon

205 000 visiteurs en 1982
— longueur : 110 m, largeur : 82 m, hauteur : 83 m

Opéra de Paris

— le grand lustre pèse 7 tonnes et comporte 400 ampoules
— 2 131 places
— production annuelle des ateliers du boulevard Berthier :
Décoration : 38 500 m² peints et décorés, 13 200 kg de peintures diverses utilisées pour effectuer ce travail sur une période de 11 mois.
Sculpture : 10 000 kg de plâtre, 3 000 kg de terre glaise, etc.

La Bibliothèque nationale

— Quadrilatère de 16 500 m²
— 300 000 manuscrits anciens, médiévaux et modernes
— 10 millions de livres, 400 000 périodiques
— 12 millions d'estampes et de photographies

Les catacombes de Paris (ossuaire)

— superficie de l'ossuaire : 11 000 m², longueur : 1,5 km
— 5 à 6 millions d'individus y sont déposés
— température moyenne : 11° C (été comme hiver)

Cimetière du Père Lachaise

— superficie : 43 ha
— columbarium : 1 800 incinérations par an
— nombre de cases (total) : environ 25 000
— nombre d'inhumations : 1 200 par an

Parc zoologique du bois de Vincennes

— 1 500 000 visiteurs par an
— superficie : 17 ha
— 450 mammifères répartis en 140 espèces
— 690 oiseaux répartis en 140 espèces
— hauteur du grand rocher : 72 m

Centre Georges Pompidou

— 7 500 000 visiteurs par an
— superficie totale disponible : 103 000 m²
— état sommaire des collections : environ 350 000 livres, 250 000 diapositives, 20 000 disques et 2 000 films.

Musée du Louvre

3 000 000 de visiteurs environ par an.
— superficie totale : 45 000 m²
— superficie disponible pour les collections : 33 000 m²
— 680 m de long, 50 m de haut, 300 m de long pour la grande galerie
— 2 410 fenêtres
— 7 appartements
— 188 salles d'exposition
— 300 000 pièces dont 2 500 exposées.

Paris in figures

The Population of Paris:

2,500,000, of which 350,000 are permanently-resident foreigners.
The Ile de France region (Paris and its suburbs) has a population of 10,400,000 and includes the Départements Seine-et-Marne, Yvelines, Essonne, Hauts-de-Seine, Seine-Saint-Denis, Val-de-Marne et Val-d'Oise.
Visitors: More than 12 million tourists per year.

Geography of the Capital:

The lowest point in 26 m above sea level (Grenelle) and the hights points are Montmartre at 130 m, Ménilmontant at 120 m, and the Montagne Sainte-Geneviève, at 65 m above sea level.
Area: 105 km², of which the Bois de Vincennes occupies 9.5 km² and the Bois de Boulogne 8.5 km².

The city is 12 km long from east to west and 9 km wide from north to south; its external perimeter is 35 km long.

To know more about Paris:

Paris is a Département, a city, twenty arrondissements, and eighty neighbourhoods all at once.
Up to the fourth century, Paris was called Lutetia.
The city numbers about 95,000 buildings with 1,260,000 homes, 64,000 businesses, 17,000 bars and restaurants, 3,800 hotels, 352 newspaper and flower stands, 250 bouquinistes (second-hand book-sellers).
The oldest house in Paris is at number 51 rue de Montmorency, and was built in 1407 by Nicolas Flamel. The oldest tree, the locust tree in the Plant Garden, is 382 years old.

Number of Thoroughfares:

3.209 streets
314 squares
310 avenues
236 dead-end streets

187 garden squares
112 boulevards
35 bridges
20 cemeteries

The longest street is the rue de Vaugirard, with 4.3 km.
The shortest street is the rue des Degrés, with 5.75 m.
The widest street is avenue Foch, 120 m wide.
The narrowest street is passage de la Duée, 0.60 m wide.
(The rue du Chat-qui-pêche, "Fishing Cat Street"—in the fifth arrondissement is 1.57 m wide).
The total length of all 5,254 roadways (including dead-end streets, carriageways, quays and other thoroughfares, etc.) is 1,245 km.

Transportation:

There are three airports; Le Bourget, Orly, Charles de Gaulle/Roissy. They handle about 950 flights daily.
Paris has 14,300 taxis and 724 taxi stands.
The Underground:
The Paris Underground was founded in 1900, and today has fifteen lines with 190 km of rail, plus three lines serving the suburbs (RER) with a total o 92 km of rail. There are 358 underground stations and more than 4 million travellers per year.
The bus system comprises 55 lines and 502 km of bus routes with 1,614 bus stops.

Culture in Paris

— 94 museums.
— 86 municipal librairies.
— 61 theatres, of which two are national opera houses (the Opéra and the Opéra Comique).
— 32 cafés-théâtres.
— 159 discothèques.
— 95 cabarets and dance halls.
— 48 concert halls.
— 15 jazz concert halls.
— 499 cinemas.
— 320 art galleries.
— 22 music halls.

— 280 workshops of art and cultural expression.
— 208 religious edifices (churches, temples, synagogues).

Principal monuments

155 floodlit monuments and fountains.
305 parks and promenades open to the public.

Their height:

The Eiffel Tower: 320.75 m (with its antenna).
The Maine-Montparnasse Tower: 210 m.
The Invalides: 105 m.
Panthéon: 83 m.
Sacré-Cœur: 80 m.
Notre-Dame: 69 m.
Opéra: 54 m.
Arc de Triomphe at Etoile: 49.54 m.
Bastille: 47 m.
Colonne Vendôme: 45 m.
Georges-Pompidou Centre: 42 m.
The Obelisk on the place de la Concorde: 27 m.

The Eiffel Tower

— There were 1,968,287 paying visitors in 1889.
— There were 3,429,571 in 1979.
— Height with its antenna: 320.75 m.
— Total weight of the monument in 1889: 9,700 tons, of which 7,000 tons represent the metal part.
— 45 tons of paint and 2,000 hours of work are required to repaint the Eiffel Tower every seven years.

The Arc de Triomphe

— More than 600,000 visitors per year.
— Height: 49.54 m.
— Width: 45 m.

Notre-Dame

— Several million visitors per year.
— 130 m long, 48 m wide, 35 m high measured under the arch, surface area 5,500 m², constructed to hold a congregation of 9,000 of which 5,000 in the galleries.

Basilica of the Sacred Heart (Basilique du Sacré-Cœur)

— Built at an altitude of 129 m.
— Contains the bell, "La Savoyarde", which weighs almost 19 tons.

— Panoramic view for 50 km around.
— 85 m long, 35 m wide, height of done: 83 m, height of bell tower: 84 m.
— Stairway with approximately 250 steps.
— 83 well foundations 38 m deep had to be drilled to reinforce the foundations, constituted by old gypsqum quarries.

The Panthéon
— 205,000 visitors in 1982.
— Length 110 m, width 82 m, height 83 m.

The Paris Opéra
— The main chandelier weighs 7 tons and contains 400 bulbs.
— There are 2,131 seats.
— Annual production of the Opéra's workshops on Boulevard Berthier.
Decoration: 38,500 m² painted and decorated, 13,200 kg of different paint being used to do this work over an 11-month season.
Sculpture: 100,000 kg of plaster, 3,000 kg of potter's clay, etc. used.

The National Library
— Quadrilaterally shaped building covering 16,500 m²
— Collection of 300,000 ancient, medieval and modern manuscripts.
— 10 million books, 400,000 periodicals.
— 12 million prints and photographs.

The Catacombs of Paris (ossuary)
— Surface area of the ossuary: 11,000 m², length: 1.5 km.
— The remains of 5 to 6 million persons are deposted there.
— Average temperature: 11°C (summer and winter).

Père Lachaise Cemetery
— Area: 43 hectares.
— Columbarium: 1,800 incinerations per year.
— Total numbers of recesses for cinerary urns: approx. 25,000.
— Number of burials: 1,200 per year.

Zoological garden in the Bois de Vincennes
— 150,000 visitors per year.
— Area: 17 hectares.
— 450 mammals of 140 different species.
— 690 birds of 140 different species.
— Height of the cliff: 72 m.

Georges Pompidou Centre
— 7,500,000 visitors a year.
— Total available space: 103,000 m²
— Breif description of collections: approximately 350,000 books, 250,000 slides, 20,000 phonograph records and 2,000 films.

The Louvre Museum
— About 3,000,000 of visitors a year.
— Total area: 45,000 m².
— Total space allocated to collections: 33,000 m².
— 680 m long, 50 m high, length of main gallery: 300 m.
— 2410 windows.
— Seven living areas.
— 188 exhibition galleries.
— Collection of 300,000 items, of which 2,500 are exhibited.

Biographie des peintres
Painter's biography

ALEXANDRINE

Née le 31 juillet 1903 à Djokjakarta (Indonésie), Alexandrine Gortmans, dite Alexandrine, quitte l'île de Java en 1916 pour vivre en Espagne, puis en Hollande et dans le midi de la France. Elle commence à peindre en 1960 et expose pour la première fois à Paris en 1964. Elle est décédée à La Haye en 1980.

Born on 31 July 1903 in Djokjakarta (Indonesia), Alexandrine Gortmans, known as Alexandrine, left the Island of Java in 1916 to live in Spain, then in Holland and in the south of France. She started painting in 1960 and exhibited for the first time in Paris in 1964. She died at The Hague in 1980.

ARCAMBOT

Jean-Pierre Arcambot naît le 27 mai 1914 dans les Alpes de Haute-Provence. Pupille de la nation, il est successivement berger, groom à Paris, puis apprenti-charcutier, avant de s'engager dans l'armée à Nîmes. C'est là qu'il commence à peindre à l'âge de 18 ans. Il vit actuellement près de son village natal.

Jean-Pierre Arcambot was born on 27 Mai 1914 in the Haute-Provence Alps. An orphan and raised by the state, he was successively a shepherd, a groom in Paris, then an apprentice pork butcher before he joined the army in Nîmes, where he started to paint at the age of 18. He currently lives near the village where he was born.

BECKER

Née à Bruxelles en 1939, Nadia Becker découvre la peinture en 1975. Elle aime dans ses toiles juxtaposer l'imaginaire et le réel.

Born in Brussels in 1939, Nadia Becker discovered painting in 1975.

BLONDEL

Emile Blondel naît au Havre le 6 août 1893 et meurt en 1970. Successivement marin, docker et garçon de ferme, il devient conducteur d'autobus dès son arrivée à Paris en 1925. Il a toujours peint, mais à sa retraite en 1935, il se consacre pleinement à son art.

Emile Blondel was born in Le Havre on 6 August 1893, and died in 1970. He was successively a sailor, dock worker and farmhand, and became a bus driver when he arrived in Paris in 1925. He was always a painter, but it was not until he retired in 1935 that he was able to devote all his time to his art.

BOLLAR

Uruguayen, Gorki Bollar naît à Montevideo en 1944. Après avoir travaillé une dizaine d'années en Angleterre vit actuellement à Amsterdam. Ses peintures sont un mélange de rêve et de réalisme avec une grande précision de couleur et de dessin.

A Uruguayen, Gorki Bollar was born in Montevideo in 1945. After having worked ten years in England, he presently lives in Amsterdam. His paintings are a mixture of dreaming and waking, with remarkable preciseness of colour and design.

BONIEUX

Née à l'Ile Maurice le 18 juin 1948, elle s'installe à Paris en 1975. Elle est interprète. Geneviève Bonieux commence à peindre en 1974.

Born on the Island of Mauritius the 18th June 1948, Geneviève Bonieux moved to Paris in 1975. An interpreter, she started painting in 1974.

BONNIN

Maurice Bonnin naît à Naples le 12 août 1911. Ancien fourreur, aujourd'hui à la retraite, il découvre la peinture en 1958 et expose pour la première fois à Paris en 1960.

Maurice Bonnin was born in Naples on 12 August 1911. Formerly a furrier and now retired, he discovered painting in 1958 and exhibited for the first time in Paris in 1960.

BOUCHON

Née le 27 mars 1949 à Paris. De son vrai nom Edith Monin. Après des études de droit, se consacre à la peinture.

Born on 27 March 1949 in Paris, Bouchon's real name is Edith Monin. After her law studies, she devoted herself to painting.

BOUQUET

Né à La Varenne-Saint-Hilaire dans la banlieue de Paris le 19 septembre 1897, il apprend d'abord le métier de monteur en bronze. En 1914, lorsque la guerre éclate, il s'improvise marchand de journaux, puis garçon boucher avant de travailler dans une usine d'aviation. Il a toujours aimé peindre et dessiner mais ne s'y intéresse vraiment qu'à partir de 1950.

Born in La Varenne-Saint-Hilaire, in the suburbs of Paris, on 19 September 1897, André Bouquet first learned to smelt bronze. When war broke out in 1914, he made his way be selling newspapers and, then was a butcher's boy before working in an aeronautics factory. He always enjoyed painting and drawing, but only became really interested in art after 1950.

CHALGALO

De son vrai nom Charles-Albert-Gaston Lombard, Chalgalo naît à Châlons-sur-Marne le 18 août 1882. Récupérateur de vieux métaux, il devient croupier dans un casino. Il meurt à Paris en 1968.

Charles-Albert-Gaston Lombard, alias Chalgalo, was born in Châlons-sur-Marne on 18 August 1882. He made his living by recovering scrap metal, before becoming a croupier in a casino. He died in Paris in 1968.

DEMONCHY

Né à Paris le 14 septembre 1914, André Demonchy est placé par l'assistance publique dans une ferme de l'Yonne. Cet orphelin de la première guerre mondiale travaille à la SNCF jusqu'en 1969. En 1947, il commence à peindre. André Breton préface le catalogue de sa première exposition, fin 1947, à Paris.

Born in Paris on 14 September 1914, André Demonchy was set to work by the Child Welfare Board on a farm in the Yonne province. Orphaned by the First World War, he worked on the French national railways until 1969. He started painting in 1947. André Breton wrote the foreword to the catalogue of his first exhibition, which took place in Paris at the end of 1947.

DESNOS

Né à Pont-Levoy, dans le Loir-et-Cher le 29 juillet 1901, Desnos commence à pendre et à dessiner dès son plus jeune âge. A Paris il trouve un emploi comme électricien au « Petit Parisien ». Remarqué par le critique du journal, Vanderpyl, Desnos expose au Salon des Indépendants dès 1931. Il meurt le 16 novembre 1958.

Born in Pont-Levoy on 29 July 1901, in the Loir-et-Cher province, Desnos started to paint and to draw at an early age. In Paris, he found work as an electrician at the "Petit Parisien". He attracted the notice of the newspaper's critic, Venderpyl, and exhibited at the Independents' Salon beginning in 1931. He died on 16 November 1958.

DESSUS

Patrice Dessus est né à Tulle le 13 novembre 1945. Après des études de droit, il exerce le métier de courtier en matières premières. C'est en 1973, à Ibiza, qu'il se met à peindre pour la première fois. Après une interruption de deux ans, il reprend ses pinceaux.

Patrice Dessus was born in Tulle, 13 November 1945. After studying law, he worked as a commodities broker. In 1973, in Ibiza, he started painting for the first time. He abandoned painting for two years, but returned to his brushes thereafter.

DONATI

Italienne d'origine, Valentina Donati est née à Nikolaiev en Russie le 20 décembre 1897, où son père était consul. Se consacrant pleinement à l'éducation de ses trois fils, elle se met à peindre pour la première fois en 1957, à 60 ans.

Of Italian extraction, Valentina Donati was born in Nikolaiev in Russia on 20 December 1897, where her father was Consul. She devoted herself entirely to educating her three sons, ans started painted for the first time in 1957, at the age of 60.

DURANTON

Né à Paris le 8 septembre 1905. Dessinateur sur étoffes et papiers peints, il ne passe à la peinture de chevalet qu'en 1965.

Born in Paris on 8 September 1905, André Duranton specialised in fabric and wallpaper design before turning to easel painting in 1965.

EVE

Fils de mineur, Jean Eve est né près de Douai le 6 octobre 1900. Il travaille successivement comme ajusteur-tourneur, dessinateur-métreur, chef de district aux chemins de fer. En 1924, deux expositions — Courbet et les Primitifs flamands — sont pour lui une révélation. Il décide alors de peindre. Sa première exposition particulière a lieu à Paris en 1930. En 1946, Jean Eve quitte tout emploi pour se consacrer entièrement à son art. Il meurt à Louveciennes le 21 août 1968.

The son of a miner, Jean Eve was born near Douai on 6 October 1900. He worked successively as a fitter and turner, draughtsman and surveyor, then district head with the railways. In 1924, two exhibitions — Courbet and the Flemish early masters — are a revelation for him, and he decides to paint. His first private exhibition took place in Paris in 1930. In 1946, Jean Eve stopped working in order to devote all his time to his art. He died at Louveciennes on 21 August 1968.

FOUS

Jean Fous, fils d'un encadreur, naît à Paris le 9 avril 1901. Il mène une vie vagabonde, puis s'installe au marché aux Puces. En 1944, outre des cartes postales, des bibelots et des cadres (de sa confection), il met en vente ses propres tableaux. La même année, il expose à Paris. Il meurt en 1970.

Jean Fous, son of a picture-frame maker, was born in Paris on 9 April 1901. He led a vagbond's life, before setting himself up at the Flea Market. In 1944, alongside his postcards, trinkets, and picture-frames (of his own making) he started selling his own paintings. The same year, he exhibited in Paris. He died in 1970.

GHIGLION-GREEN

Il naît à Cannes en 1913. Faute d'argent, il interrompt ses études d'architecture. Commis d'architecte, puis colleur d'affiches au Casino, il franchit très vite tous les échelons pour devenir l'un des dirigeants de l'établissement. Peintre occasionnel, il démissionne en 1948 et se met à peindre, cette fois régulièrement.

Born in Cannes in 1913, Maurice Ghiglion-Green was forced to give up his studies in architecture for want of money. He worked as an architect's clerk and then as a billsticker at the Casino, where he very rapidly worked his way up until he became the director. An occasional painter even then, he started to paint regularly in 1948.

GREFFE

Né en 1881 à Charleroi en Belgique, Léon Greffe est d'abord mineur de fond. En 1926, il arrive à Paris, devient fort des Halles, puis concierge dans un immeuble du quai de la Mégisserie, face au Palais de Justice. Il meurt en 1949.

Born in 1881 in Charleroi, Belgium, Léon Greffe started work as a miner. He came to Paris in 1926, where he worked as a market porter in the Halles, then as a doorkeeper in a building on the Quai de la Mégisserie, across from the law courts. He died in 1949.

GRIM

De son vrai nom, Maurice Grimaldi, Grim est né le 23 juillet 1890 dans les Vosges. Employé dès l'âge de 19 ans, il attend la retraite, en 1957, pour peindre plus régulièrement. Il meurt à Paris en 1968.

Grim, whose real name was Maurice Grimaldi, was born on 23 July 1890 in the Vosges. He worked for the postal service at 19, and it was not until his retirement in 1957 that he painted regularly. He died in Paris in 1968.

GROSSIN

Fernande Grossin, dite « mémée Grossin » est née le 28 octobre 1886 à Bordeaux. Mariée à un fonctionnaire colonial elle séjourne à la Martinique. De retour en France, poussée par une certaine nostalgie de la lumière, elle se met à peindre d'après nature à 76 ans. Elle meurt à Paris en 1975.

Fernande Grossin, called "Grandma Grossin", was born on 28 October 1886 in Bordeaux. She married a colonial administrator and lived in Mar-

tinique. On her return to France, prompted by a longing for light, she started to paint from nature at the age of 76. She died in Paris in 1975.

GUENEGAN

Né à Brest-Lambézélec en Bretagne le 5 décembre 1916, Jean Guénégan passe son adolescence à Toulon, et à 19 ans s'engage dans l'armée de l'air. En 1939, il travaille aux Ponts et Chaussées, puis s'installe à Paris en 1949 et devient représentant. Son premier tableau, daté de 1975, représente un fou de Bassan tournoyant au-dessus de l'île de Bréhat. Il expose pour la première fois en 1979 à Paris.

Born in Brest-Lambézélec, in Brittany, on 5 December 1916, Jean Guénégan spent his adolescent years in Toulon, and then at 19, joined the Air Force. In 1939, he worked for the Public Works Department, and then moved to Paris in 1949 where he became a salesman. His first painting, dated 1975, depicts a gannet in flight as it circles over the Island of Bréhat. He exhibited for the first time en 1979 in Paris.

GUISOL

De son vrai nom Henri-Paul Bonhomme. Né à Aix-en-Provence, le 12 octobre 1904, Henri Guisol hésite entre la peinture et le théâtre. Le théâtre l'emporte, et Henri Guisol débute à l'Atelier avec Charles Dullin, au cinéma dans « Drôle de drame » de Marcel Carné. Comme peintre, il ne s'est manifesté que discrètement.

Henri Guisol, whose real name is Henri-Paul Bonhomme, born in Aix-en-Provence on 12 October 1904, hesitated between painting and the stage. The theatre won him over, and Henri Guisol made his debut on the stage at Charles Dullin's Atelier, then in moving pictures in Marcel Carné's "Drôle de Drame". He always kept his painting activity in the background.

HADDELSEY

Né en 1929, dans le Lincolnshire, il partage sa vie entre l'Angleterre où il retrouve ses chevaux et la France. Ses premières expositions ont lieu la même année, en 1964, à Londres et à Paris.

Born in Lincolnshire in 1929, Vincent Haddelsey divided his life between England, where he kept his horses, and France. His first exhibitions in London and Paris both took place in the same year, 1964.

HENNIN

Né le 26 février 1907 à Lyon, il crée en 1938, avec sa femme, un atelier artisanal de tapisserie. Gaston Hennin peint à partir de 1957 et commence à exposer la même année.

Born in Lyons on 26 February 1907, Gaston Hennin founded a tapestry workshop with his wife, in 1938. He started painting in 1957 and began exhibiting the same year.

HERJIE

Né à Paris en 1920, il commence à peindre vers 58 ans.

Born in Paris in 1920, he started painted at around the age of 58.

KLISSAC

Né à Kiev, en Ukraine, en 1903, il émigre et s'installe en France. Il a exercé le métier de photographe mais rêvait de devenir peintre. Il n'a jamais voulu exposer avant 1978.

Born in Kiev, in the Ukraine, in 1903. Klissav emigrated to France where he worked as a photographer, but always dreamed of becoming a painter. He did not wish to exhibit his work before 1978.

KRIEGEL

Née le 17 septembre 1923 à Auxerre, dans l'Yonne, Many Kriegel se met à peindre en 1972. Elle expose pour la première fois en 1975.

Born on 17 September 1923 in Auxerre in the Yonne region, Many Kriegel started painting in 1972. She exhibited for the first time in 1975.

LEFRANC

C'est à Laval, en Mayenne, le 12 mai 1887, que naît Jules Lefranc, 43 ans après Henri Rousseau dit le Douanier. En 1901, il rencontre Claude Monet. L'année suivante, à 15 ans, il commence à peindre. Il s'interrompt de 1906 à 1924, travaille dans la quincaillerie avant d'acheter la sienne. En 1928, il renonce au commerce pour peindre. C'est à son initiative que fut créé en 1967, le musée Henri Rousseau de Laval, premier musée d'art naïf. Il meurt à Paris en 1972.

It was in Laval, in Mayenne, that Jules Lefranc was born, on 12 May 1887, forty-three years after Henri Rousseau, known as the "Douanier". He met Claude Monet in 1901. The following year, at the age of 15, he started to paint. He stoped painting from 1906 to 1924, when he worked in a hardware store, before buying his own. In 1928 he gave up business in order to pait. It was at his initiative that the Henri Rousseau Museum, the first museum of naive art, was created in Laval in 1967. He died in Paris in 1972.

PEROL

Pérol, espagnol, né en 1920. Privé de travail en Espagne pour des raisons politiques, il s'expatrie en France et ne commence à peindre que tardivement. Il met en scène des personnages naïfs sur fonds parsemés de fleurs.

Pérol is Spanish and was born in 1920. Prevented from working in Spain for political reasons, he became an expatriate in France, where he started painting late in life. His paintings portray naive subjects on flowery backgrounds.

PETER

Né à Aubonne, en Suisse, fils de banquier, Peter étudie la musique et poursuit son apprentissage de banquier en Allemagne, en Angleterre et en France. Devenu banquier, il s'installe à Paris en 1911. Ruiné par la crise économique de 1930, très frappé par la mort de sa femme en 1955, il trouve à 65 ans un merveilleux dérivatif dans la peinture. Il meurt à Paris en 1980.

Born in Aubonne, Switzerland, and son of a banker, Peter studied music and pursued his apprenticeship of finance in Germany, England, and France. When he became a banker, he set himself up in Paris in 1911. Ruined by the Crash of 1930, extremely affected by the death of his wife in 1955, he found at 65 a marvellous outlet in painting. He died in Paris in 1980.

RESTIVO

Né en 1916 à Adrano en Italie, il meurt à Nice en 1974.

Born in Adrano, Italy, in 1916, died in Nice in 1974.

RIMBERT

Né à Paris en 1896, il entre dans l'administration des PTT à la sortie de l'école et ne la quitte qu'en 1955 pour prendre sa retraite. Il commence à peindre après la guerre, à sa démobilisation en 1919.

Born in Paris in 1896, René Rimbert started work with the postal administration after his studies, where he remained until his retirement in 1955. He started painting after the war when he was demobilised in 1919.

ROUSSEAU

Henri Rousseau, français, né à Laval en 1844. En 1869, il entre comme employé à l'octroi de Paris, et commence à peindre vers 1880. Il expose régulièrement au salon des Artistes indépendants jusqu'à sa mort en 1910. Défendu par les plus grands artistes de l'époque, c'est le premier, et génial, Naïf français. Il a ainsi ouvert la porte à l'art naïf en France.

Henri Rousseau, French, born in Laval in 1844. In 1869, he is employed at the "octroi in Paris" and start painting around 1880. He regularly exhibits at the Independant artists galery untils his death, in 1910. Supported by the greatest artists of his time, he is the first and genius french primitive. He opened the way to the primitive art in France.

SALAÜN

D'origine paysanne, André Salaün vient à Paris en 1941, vingt ans après sa naissance, le 13 janvier 1921 à Saint-Germain-sur-Avre, en Normandie. Il travaille successivement comme manœuvre en usine, commis de magasin, vélo-taxi, marchand de glaces, porteur de journaux, coursier, etc. Puis, il entre aux PTT où il travaille encore. En 1943, après en avoir longtemps rêvé, il peint son premier tableau. Depuis il n'a jamais cessé.

Of country origin, born on 13 January 1921 at Saint-Germain-sur-Avre in Normandy, André Salaün came to Paris in 1914 when he vas twenty years old. He worked as a factory hand, a store clerk, a newspaper boy, a messenger, etc. Then he entered the postal service where he still works today. In 1943, after having long dreamt of it, he did his first painting. Since then, he has never stopped.

SCHAAR

Monique Schaar, belge, née à Bruxelles en 1939, commence à peindre en 1970. Elle aime les couleurs vives et l'abondance des détails.

Monique Schaar is Belgian and was born in Brussels in 1930. She started painting in 1970. Her paintings show her love for bright colours and abundant detail.

SCHWARTZENBERG

Né à Harlau en Roumanie, ses parents s'établissent à Paris alors qu'il n'a qu'un an. Il dirige une affaire de bonneterie en gros. Passionné de musique, il devient 1er violon. En 1952, très éprouvé par la guerre, il commence à peindre pendant ses loisirs.

Born in Harlau, Romania, Simon Schwartzenberg's parents moved to Paris when he was just one year old. He started as director of a wholesale hat business. A lover of music, he played first violin. In 1952, sorely tried by the war, he started painting during his leisure time.

TROTIN

Né à Paris en 1894, il meurt en 1966. Très jeune, il est mis en apprentissage chez un mécanicien-dentiste. Mais il ne rêve déjà que de peinture. Il entre dans un atelier de décoration et suit sa vocation.

Born in Paris in 1894, died in 1966. Very young, he was made an apprentice dentist, but already dreamt only of painting. He entered a decorator's workshop to follow his vocation.

VERGER

Né en 1912 à Meung-sur-Loire. René Verger travaille à la ferme familiale et, en 1946, part planteur en Côte-d'Ivoire, y termine son séjour en tant qu'agent-voyer préfectoral. Rentré en France en 1966, il est employé à la mairie d'Orléans et a toujours peint depuis.

Born in Meung-sur-Loire in 1912, René Verger started work in the family farm and in 1946 went in Ivory-Coast as a planter, settled there as prefectoral road-surveyor. Back in France in 1966 where he is Orleans town hall's employ, since then, he has never stopped painting.

VIEILLARD

Il est né à Toulouse le 24 décembre 1923. Après ses études de droit, il est nommé huissier de justice auprès du tribunal de Béziers en 1951. De retour à Toulouse en 1959, il devient chef du contentieux dans une administration. Ce n'est qu'en 1966 qu'il prend ses pinceaux « pour de bon » après en avoir rêvé depuis longtemps.

Born in Toulouse on 24 December 1923. After his law studies, he was appointed bailiff of the Tribunal of Beziers in 1951. When he returned to Toulouse in 1959, he became solicitor in a public administration. It was only in 1966 that he took up his brushes "for good" after having long dreamt of it.

VIVANCOS

Né le 19 avril 1895 en Espagne. Ouvrier dans une raffinerie, docker et militant syndicaliste à Barcelone, Vivancos se réfugie en France après la défaite des républicains espagnols. Il commence sa carrière d'artiste à 50 ans. Picasso l'encourage. André Breton présente sa première exposition en 1950, à Paris. Il meurt en 1972 à Cordoue.

Born on 19 April 1895 in Spain, Miguel Garcia Vivancos worked in a refinery, on the docks, and was a labour union member in Barcelona before taking refuge in France after the defeat of the Spanish Republicans. His artistic career started when he was 50. Picasso urged him to paint. André Breton presented his first exhibit in 1950 in Paris. He died in Cordoba in 1972.

VIVIN

Il est né en juillet 1861 à Hadol dans les Vosges. En 1879, il entre aux PTT, où se déroule sa carrière jusqu'au grade d'inspecteur principal. Il envoie ses premiers tableaux à l'Hôtel des Postes de la rue du Louvre où se déroulent les expositions de la section artistique des PTT, créée en 1903. Il se consacre pleinement à la peinture dès sa retraite que ses bons et loyaux services lui permettent de prendre par anticipation en 1923. Il meurt à Paris en 1936.

Born in July 1961 in Hadol in the Vosges, Louis Vivin worked for the postal administration where he spent his career, reaching the level of principal inspector. He sent his first paintings to the Principal Post Office on the Rue du Louvre where exhibitions of the artistic section of the postal service, founded in 1903, took place. He devoted himself entirely to painting on his retirement, that he was able to take early thanks to his loyal and faithful service. He died in Paris in 1936.

Index

REMERCIEMENTS

Nous tenons à remercier les collectionneurs, musées et galeries, ainsi que ceux et celles qui ont bien voulu nous apporter leur concours, notamment :

Monsieur Claude Fourney, Conservateur des Musées classés, Directeur des Musées de Nice, Conservateur du Musée International d'Art Naïf Anatole Jakovsky.

Monsieur Charles Schaettel, Conservateur des Musées de Laval.

Monsieur Oscar Guez, Président-Fondateur du Musée du Petit Palais à Genève.

Madame Dina Vierny, directrice de la galerie Dina Vierny (Paris).

Madame Antoinette Appert, directrice de la Galerie Antoinette (Paris).

Madame Jessica Coggio, directrice de la galerie Naïv'Art (Paris).

Monsieur et Madame Romic, directeurs de la galerie Mona Lisa (Paris).

Monsieur et Madame Kasper, directeurs de la galerie Pro'Arte à Morges (Suisse).

Jean Guénégan, Claire Montag, Catherine Dugniolle, Pierre Guénégan, Madame Olivé, Luc Lemaire, Françoise Rey. Ainsi que les peintres reproduits (ou leurs descendants) qui ont bien voulu figurer dans cet ouvrage.

Achevé d'imprimer en mars 1984

Industries Graphiques de Paris

Dépôt légal 2e trimestre 1983   Imprimé en France   ISBN 2-903118-08-6